Josefina Zoraida Vázquez

Juárez, el republicano

El Colegio de México

SECRETARÍA DE
EDUCACIÓN
PÚBLICA | SEP

COMISIÓN NACIONAL de LIBROS de TEXTO GRATUITOS

Juárez, el republicano

SECRETARÍA DE EDUCACIÓN PÚBLICA

Dr. Reyes S. Tamez Guerra
Secretario de Educación Pública

M. en C. Lorenzo Gómez-Morin Fuentes
Subsecretario de Educación Básica

Dr. Julio Rubio Oca
Subsecretario de Educación Superior

Dra. Yoloxóchitl Bustamante Diez
Subsecretaria de Educación Media Superior

Ing. José M. Fraustro Siller
Oficial Mayor

Dra. Sylvia Ortega Salazar
Titular de la Administración Federal de
Servicios Educativos en el Distrito Federal

Dr. Andrés Lira González
Presidente de
El Colegio de México

Lic. Jorge Velasco y Félix
Director General de la
Comisión Nacional de Libros de Texto Gratuitos

ISBN: 970-9765-02-7

DR © **Josefina Zoraida Vázquez, El Colegio de México y Comisión Nacional de Libros de Texto Gratuitos**

Edición al cuidado de
Jorge Velasco y Félix

Producción
David Villanueva Escabí
Arte
Rodolfo Gutiérrez Sánchez

Iconografía:
Bertha Hernández González
Corrección
Rogelio Dromundo Salazar

La iconografía de esta obra fue autorizada por las diversas instituciones poseedoras o propietarias de los derechos de autor. Portada: *Juárez, símbolo de la República contra la intervención francesa*. Antonio González Orozco.

MENSAJE DEL PRESIDENTE A LOS ALUMNOS

Hace 200 años, en un poblado de la sierra de Oaxaca llamado San Pablo Guelatao, nació un niño que pronto fue un ejemplo de dignidad, voluntad y profundo amor a México. Se llamaba Benito Pablo Juárez García y llegó a ser Presidente de la República en uno de los momentos más difíciles de nuestra historia.

México, un país amante de la paz y el derecho, fue invadido por el ejército de Francia, el más poderoso de su tiempo, y las potencias europeas impusieron a un emperador austriaco, con el pretexto de una deuda que en ese momento no podíamos pagar. El Presidente Juárez, custodio de la Patria, peregrinó por el territorio nacional para convocar a los mexicanos a expulsar a los invasores y rescatar a la República.

Este librito contiene una narración muy interesante de la vida de don Benito Juárez en el México del siglo diecinueve. Al leerlo, conocerás los claroscuros de un hombre que liberó al país en el que vives con tus padres y hermanos.

El libro se llama *Juárez, el republicano* y fue editado en homenaje a don Benito Juárez, al cumplirse dos siglos de su nacimiento. Lo escribió para ti la doctora Josefina Zoraida Vázquez, investigadora de El Colegio de México y autora de muchos libros de texto gratuitos. Recíbelo, al igual que otras obras que te he enviado anteriormente, para que sigamos conmemorando juntos, con libros, los grandes acontecimientos de la historia de México.

Vicente Fox Quesada

PRESENTACIÓN

Llega a tus manos este libro conmemorativo del bicentenario del nacimiento de don Benito Pablo Juárez García. Es tuyo, para que en sus páginas recorras la vida de un hombre ejemplar, cuya fuerza de voluntad constituye un ejemplo para que todos los niños y jóvenes de nuestro país se superen cada día.

Juárez es un mexicano de talla universal. En estas páginas lo conocerás con los contrastes que tienen todos los hombres y mujeres de la Tierra, pero también hallarás los rasgos más relevantes de su obra y pensamiento que, dos siglos después, lo convierten en patrimonio de quienes formamos el noble pueblo de México.

En este ciclo escolar, que en homenaje a doscientos años de su nacimiento lleva el nombre de don Benito Juárez, leerás este libro titulado *Juárez, el republicano*, coeditado con El Colegio de México y escrito por una investigadora de gran valía, la doctora Josefina Zoraida Vázquez. Podrás aprender de su patriótico contenido e intercambiar ideas al respecto con tus compañeros, profesores y familia.

Ése es el mejor homenaje que tú, como escolar mexicano, puedes rendir a la memoria de un héroe republicano de gran entereza y austero, que enfrentó momentos historicos muy dificiles, siempre con la decisión de un gran patriota y estadista.

Estoy seguro de que sabrás valorar su legado, que hoy nos convoca y nos une.

Reyes S. Tamez G.

Reyes S. Tamez Guerra

BENITO JUÁREZ

JUÁREZ es un caso extraordinario en la historia, ya que nacido en el seno de una etnia monolingüe y aislada de la sierra de Oaxaca y de humildes orígenes, fue capaz de forjarse una sólida y ascendente carrera que lo llevaría hasta el primer puesto de la República. Por si eso no fuera suficiente, don Benito ha sido seguramente el único presidente conocedor del derecho canónico y civil y capaz de leer latín, inglés y francés.

Gobernó durante catorce años en medio de una guerra civil y una intervención extranjera, determinantes para consolidar el régimen republicano y con ello el futuro de México. Valdría la pena insistir que al ascender a la presidencia, don Benito Juárez, sin olvidar sus raíces étnicas, era ya un ciudadano mexicano, gracias al poder transformador de la educación. Como su experiencia le decía que a través de la enseñanza él se había abierto un camino, quería que otros se abrieran camino en la vida. Su convencimiento de la necesidad de multiplicar las escuelas llevó a don Benito a fundar un verdadero sistema de instrucción pública, para que con ello un mayor número de mexicanos tuvieran un mejor futuro.

El primer impulso de la instrucción pública lo abrió Juárez en su estado y en el Distrito Federal y territorios, convencido que la escuela era el camino único para que el

DON BENITO
CONOCÍA EL DERECHO
CANÓNICO Y EL CIVIL; LEÍA
LATÍN, INGLÉS Y FRANCÉS

país se transformara y prosperara, pues a través de la educación los mexicanos se convertirían en ciudadanos productivos y cumplidos, conscientes de sus derechos y también de sus deberes.

La vida de don Benito Juárez se entretejió con los difíciles años de la construcción del Estado Mexicano; por eso tenemos que seguirla paralelamente a su desarrollo, para comprenderla dentro del complejo contexto nacional.

Al extinguirse su vida el 18 de julio de 1872, a los 66 años se había convertido en un verdadero mito. La admiración por su firmeza en la defensa de sus principios liberales y de la soberanía nacional, traspasó las fronteras de México. En 1865, el Congreso de la República de Colombia le rindió un solemne tributo en reconocimiento a su lucha contra el imperialismo francés; el 11 de mayo de 1867 el Congreso colombiano lo declaró *"Benemérito de*

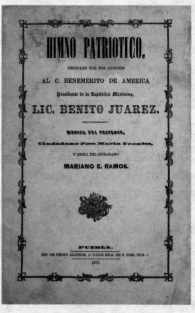

las Américas", y el Congreso Constituyente del Perú le concedió una medalla de honor.

Todavía en 1872, el gobierno de la Provincia de *Buenos Aires* creó un distrito político y lo bautizó con su nombre[1]. En Estados Unidos de América su vida despertó tan grande interés, que el periódico neoyorquino *La Voz de América*, decidió publicar anónimamente, en dos de sus números de julio de 1866, la biografía escrita por Anastasio Zerecero.[2]

En México su figura nunca cesó de causar controversia. Su permanencia en la presidencia por catorce años, en medio de una guerra civil y una intervención extranjera, sin el

---

1   Jorge L. Tamayo, *Benito Juárez. Documentos, discursos y correspondencia.* México, Editorial Libros de México, 1972, vol. I, pp. 432-437.
2   Anastasio Zerecero, *Biografía del C. Benito Juárez* (Puebla, 1867). Puebla, H. Ayuntamiento del Municipio de Puebla de Zaragoza, 1972, prólogo.

apoyo de un Congreso, hizo surgir acérrimos enemigos dentro de su propio partido, pero que nunca dejaron de reconocer su indomable empeño para que el país estableciera un gobierno civil, regido constitucionalmente y fortalecido para poder preservar su soberanía.

Don Benito construyó su imagen de civil republicano, estoico y austero, capaz de enfrentar la adversidad con la impasibilidad de un verdadero estadista. Para mostrar la distancia que separaba a un gobierno civil y liberal de la dictadura santanista que le había precedido, eligió la austeridad como sello de su gobierno. Enfundado en su eterno traje negro, marcó la distancia entre él y los generales del "viejo régimen", vestidos en elegantes uniformes militares, decorados de medallas y condecoraciones. La repetida fotografía de Juárez que tenemos presente, una imagen acartonada y sin expresión, no refleja su compleja personalidad, ni permite valorar su dimensión de estadista.

Esa imagen "impasible", reproducida por textos y libros, se ha convertido casi en una muralla que impide descubrir al entrañable don Benito, que nos muestra su extensa correspondencia, siempre apegado a su esposa, a su familia y a su estrecho círculo de amigos.

LA AUSTERIDAD
FUE EL SELLO DE
SU GOBIERNO

Una larga etapa de grandes cambios esfumó la prosperidad del virreinato

Las coyunturas comerciales y la laboriosidad de sus habitantes habían permitido a Oaxaca gozar una gran prosperidad en el siglo XVIII, gracias a la demanda internacional de sus tintes de añil y cochinilla y la producción estable de sus minas y de su azúcar.

Al ocupar el trono español, la dinastía de los Borbones se empeñó en convertir a los reinos americanos en verdaderas colonias, decretando reformas para que aumentaran la productividad y pudieran proveerle a la corona mayores recursos para sus guerras europeas. La serie de reformas administrativas y comerciales promovidas por los Borbones les produjeron enormes ganancias, pero generaron un gran malestar en la población de los reinos americanos.

La Nueva España, su reino más rico y próspero, sería el más afectado, y por tanto también Oaxaca. La Corona estableció monopolios y nuevos impuestos, e impuso también préstamos volun-

11

tarios y forzosos y reformas administrativas. En 1804 se obligó a la Iglesia a enviar sus capitales rumbo a la península, pero estos recursos servían de banco a rancheros, hacendados, mineros y comerciantes, por lo que la medida afectó la producción del virreinato y despertó las inquietudes que conducirían a la lucha independentista.

De esta forma, apenas estrenado el siglo XIX, el virreinato entraba en una honda crisis económica que se alargaría hasta el último tercio del siglo XIX. En medio de un descontento de todos los grupos sociales de la sociedad novohispana y la crisis, el reino tuvo que enfrentar la acefalia de la Corona en 1808.

El general Napoleón Bonaparte, que se había convertido en Emperador, había forzado a Carlos IV y su hijo Fernando VII a abdicarle la Corona, la que entregó a su hermano José. Este hecho se convertiría en coyuntura favorable para iniciar la lucha independentista en todos los reinos americanos.

La próspera Nueva España se transformaba al tiempo que Benito crecía. Las nuevas ideas difundidas por las revoluciones políticas sugirieron a los miembros del Ayuntamiento de México rechazar la imposición de un rey ilegítimo en 1808 e intentar organizar una junta del reino, que decidiera la forma en que se gobernaría la Nueva España en ausencia de su rey legítimo. Como los peninsulares impidieron la realización de la junta, se iniciaron las conspiraciones y para el 16 de septiembre de 1810, estallaba un violen-

to movimiento encabezado por don Miguel Hidalgo.

La importancia de Nueva España para la Corona española hizo que la guerra se extendiera por once años y fuera muy sangrienta. La lucha se expandió por todos los rincones del territorio, obstaculizó las comunicaciones y afectó la economía, la recolección de impuestos y multiplicó el bandidaje en los caminos, bloqueando el comercio.

A estos males se sumarían los cambios que traería la revolución liberal española que promulgaría la Constitución de 1812 y dividiría el ejercicio del gobierno en tres poderes, limitando el del monarca.

Los españoles de los dos lados del Atlántico, de golpe y porrazo, se convirtieron en ciudadanos, con derecho a elegir tres tipos de representación: local para elegir ayuntamientos en todo pueblo o grupo de pueblos de mil habitantes; regional, para diputados provinciales e imperial para elegir diputados a Cortes metropolitanas.

El derecho a voto fue amplio y a diferencia de otros regímenes constitucionales no exigía saber leer y escribir, ni pagar impuestos. Las Cortes declararon la igualdad de todos los españoles en las dos Españas, reconociendo la ciudadanía de indios, mestizos y criollos, pero negándoselas a las castas; es decir, a aquellos que tuvieran algo de sangre negra, un grupo significativo de habitantes. Por eso la representación americana en Cortes iba a ser minoritaria y, por lo tanto, injusta.

La Constitución estableció un gobierno centralista y no incluyó la libertad de comercio que deseaban los novohispanos, por lo que muchos la rechazaron.

LA CONSTITUCIÓN DE 1812 SIRVIÓ DE MODELO A LA DE DON JOSÉ MARÍA MORELOS

La Constitución liberal obligó a convocar a elecciones y al llevarse a cabo, estimularon la movilización de la población. La celebración de elecciones y el breve goce de la libertad de prensa, contribuyeron a difundir las nuevas ideas políticas.

La Constitución de 1812 se promulgó en marzo en España y se juró en Nueva España en septiembre, en una ceremonia cívica en la que se mezclaban viejas y nuevas prácticas, juras, pendones y tedéum en iglesias y catedrales.

Como la prensa creó una efervescencia en la población, el virrey Francisco de Venegas no tardó en suspenderla. También detendría las elecciones de la ciudad de México, al darse cuenta de que los criollos habían movilizado a todos los grupos sociales para que no resultara elegido ningún peninsular.

Su sucesor, Félix Calleja, decidiría cambiar de táctica. Empezó por aprobar las elecciones y después se dedicó a difundir la Constitución, pensando que en esa forma podría convencer a los insurgentes que la mayoría de sus objetivos ya los otorgaba, y en su texto se reconocía la soberanía de la nación y se garantizaban los derechos y libertades individuales. Sin lograr convencer a los insurgentes, les permitió familiarizarse con las ideas liberales.

Por otra parte, a su vuelta al trono español en 1814, Fernando VII de inmediato la abolió, aumentando la desconfianza de los novohispanos en la Corona.

La gran paradoja fue que la Constitución de 1812 serviría de modelo a los miembros del Congreso constituyente convocado por don José María Morelos. La Constitución en Apatzingán se promulgó en 1814 cuando el movimiento insurgente que Morelos había llevado a su culminación empezaba a declinar. Al año siguiente, don José María fue capturado y después de enfrentar un doble juicio civil y eclesiástico, murió fusilado.

El movimiento, aunque se había extendido por todo el territorio, sufrió un estancamiento. Juan Ruiz de Apodaca sustituyó a Calleja y con una política conciliadora ofreció a los insurgentes el indulto y muchos se acogieron a la oferta. Con la llegada de fray

Servando Teresa de Mier y el liberal español Francisco Xavier Mina en 1817, el movimiento pareció renacer. Mina se adentró al Bajío, pero su campaña fue muy breve, ya que fue derrotado.

Nueva España pareció pacificada, pero la realidad era otra. El reino mostraba el cansancio de tantos años de lucha. Los campos, minas y pequeñas industrias estaban abandonados. Los caminos, llenos de bandidos, habían roto las viejas redes comerciales y el dominio de amplias regiones por los rebeldes hizo que el gobierno virreinal perdiera el control político y decayera el cobro

de impuestos. Los jefes militares, tanto realistas como insurgentes ejercían poderes extraordinarios y exigían impuestos, forrajes, animales y hombres, lo que les permitió conquistar un poder que nunca habían gozado y que tratarían de mantener.

Aun antes de consumarse la independencia, el virreinato ya no funcionaba. Los costos de la lucha serían difíciles de remediar ya que la productividad económica se había reducido a la mitad. La bancarrota hacendaria y la ruptura de la vida institucional construida a lo largo de casi tres siglos rompieron el equilibrio en las relaciones entre el centro político y económico y las élites provinciales. Esto provocó hondas divisiones que, sumadas a las aspiraciones surgidas en todas las clases sociales, en especial en el ejército, favorecerían una larga inestabilidad.

JUÁREZ LUCHA CONTRA
LIMITACIONES Y OBSTÁCULOS

BENITO Pablo Juárez García, don Benito Juárez, vio la luz el *21 de marzo de 1806* en Guelatao, un pueblecito de sólo veinte familias, escondido en la sierra oaxaqueña y con una única ventana al mundo exterior gracias a su cercanía con el pueblo de Santo Tomás Ixtlán.

Sus padres, Marcelino Juárez y Brígida García eran, según sus palabras, "indios de la raza primitiva del país",[3] lo que era natural en una provincia como Oaxaca, cuya variada orografía aislaba a pequeños poblados completamente indígenas –predominantemente zapotecas y mixtecas, pero también de otros grupos lingüísticos–, cuya cohesión étnica les había permitido preservar gran parte de la autonomía que la Corona española había otorgado a los pueblos indígenas durante el virreinato.

A pesar de nacer en ese rincón remoto de la República Mexicana, dentro de una familia perteneciente a una de las etnias monolingües oaxaqueñas, la vida de Benito Juárez transcurrió paralelamente a la de la nueva nación; pudo aprovechar las nuevas oportunidades que ésta ofrecía, a pesar de las profundas desigualdades de su sociedad.

---

3   Muchas de las citas que se incluyen entre comillas son de sus *Apuntes*, de los cuales hay muchas ediciones. Se han consultado indistintamente los incluidos en el primer volumen de Tamayo y la edición de Florencio Zamarripa, Los *Apuntes para mis hijos* de Benito Juárez. México, Editorial Futuro, [1964].

Para 1809, apenas con tres años, el niño Benito quedaba huérfano y en el virreinato habían despertado las inquietudes que darían inicio a la lucha independentista. En aquel rincón aislado de Oaxaca, apenas llegaron noticias de la lucha que ensangrentaba a la Nueva España. El tamaño del poblado lo salvaguardaba de las tropas realistas e insurgentes, de manera que el niño creció ajeno a esos eventos. El huérfano pasó a vivir con sus abuelos primero y después con un tío. El mismo Juárez dejó constancia cómo su tío le enseñó a leer, insistiéndole en "lo útil y conveniente que era saber el idioma castellano", y sus deseos de que se hiciera eclesiástico.

Benito creció cumpliendo con las labores de campo, pero su tío le había despertado el interés en instruirse y soñaba con aprender todo lo que no sabía, lo que no era fácil en ese rincón de la sierra. A pesar de los empeños de los reyes Borbones para hacer que en todas las parroquias se instalara una escuela de primeras letras, ni en Guelatao ni en Ixtlán se establecieron, por lo que los padres que querían que sus hijos se educaran los llevaban a Oaxaca, y cuando no podían pagar la pensión, los ponían a servir en casas particulares "a condición de que los enseñasen a leer y a escribir". Esto hizo que Benito le insistiera a su tío que lo llevara a Oaxaca donde podría aprender, y según él escribió, "sea por el cariño que me tenía, o por cualquier otro motivo, no se resolvía y sólo me daba esperanzas de que alguna vez me llevaría"

BENITO CRECIÓ CUMPLIENDO CON LAS LABORES DEL CAMPO, PERO SU TÍO LE DESPERTÓ EL INTERÉS POR EL ESTUDIO

El pequeño Benito no quería quedar desamparado al apartarse del lado de su tío y dejando atrás "a mis tiernos compañeros de infancia, con quien siempre se contraen relaciones y simpatías profundas que la ausencia lastima", pero aunque esos sentimientos lo asaltaban, se fue imponiendo el deseo de aventurarse a "otra sociedad nueva y desconocida", que le permitiría educarse.

Con apenas 12 años el joven Benito decidió fugarse de Guelatao. El 17 de diciembre de 1818, muy temprano, Benito caminó a la ciudad de Oaxaca adonde llegó esa misma noche. Su hermana María Josefa trabajaba como cocinera en la casa de don Antonio Maza, y hacia allí se dirigió. No es difícil imaginar a Benito con su calzón blanco, absorto ante la primera ciudad que conocía. Las bellas y grandiosas construcciones coloniales deben haberlo maravillado y sentirse empequeñecido, pero también acrecentarían sus sueños de superarse para estar a tono con todo lo que significaban.

Alojado en la casa de los señores Maza por unas semanas, trabajó en los cuidados de la granja con dos reales diarios de salario, lo que le permitía sostenerse mientras encontraba una casa adonde servir. Su buena estrella lo llevó a encontrar un protector en "un hombre honesto y muy honrado que ejercía el oficio de encuadernador y empastador de libros que vestía el hábito de la orden tercera de San Francisco, don Antonio Salanueva". A pesar de ser muy devoto, "era bastante despreocupado y amigo de la educación de la juventud", pues era constante lector del ilustrado padre Feijoo.

—¿De dónde vienes, Benito Pablo?

Salanueva le ofreció enviarlo a la escuela, lo que hizo recordar a don Benito en sus *Apuntes para mis hijos*, "de ese modo quedé establecido en Oaxaca el 7 de enero de 1819".

Aunque no lo menciona don Benito en esos *Apuntes*, su natural inquietud le permitiría irse poniendo al corriente de los acontecimientos que habían conmovido a Nueva España. Después de todo, Morelos había establecido en Oaxaca su gobierno, y en ella se había publicado un periódico insurgente. A pesar de que los realistas reconquistaron la ciudad y la vida pareció volver a su paz provinciana, el rescoldo de la insurgencia, no podía haberse esfumado.

En la Oaxaca de fines de la colonia sólo existía una institución de primeras letras, la Escuela Real, de manera que a ella envió Salanueva al joven Benito. La institución era típica de la época, con sus dos departamentos: uno para niños "decentes", atendido por el maestro, y otro para niños pobres, manejado por un ayudante. Sólo se enseñaba a leer, escribir y a memorizar el Catecismo del Padre Ripalda, es decir era a todas luces, insuficiente para el inquieto y ambicioso joven, consciente de las imperfecciones de su castellano, el cual hablaba "sin reglas y con todos los vicios con que lo hablaba el vulgo", ya que lo había aprendido sobre la marcha.

Su afán de superación le hacía desear hablarlo con corrección, pero sus ocupaciones limitaban su tiempo al estudio, lo que sumado al método inadecuado de enseñanza, le impedían progresar. Esto lo llevó a solicitar la ayuda del preceptor, cuya poca sensibilidad impidió que lo pudiera auxiliar para corregir sus errores, pues terminó por impacientarse con sus yerros y lo castigó.

Para una voluntad férrea como la de don Benito, ni eso, ni la inexistencia de un establecimiento mejor en Oaxaca, le iban a impedir seguir con su empeño de manera que, desilusionado con la mala calidad de la instrucción que se impartía, decidió autoeducarse.

Con gran disciplina, ejercitó lo poco que había aprendido y trató de leer todo lo que podía, una inmejorable manera de desarrollar la capacidad de expresar sus ideas en forma escrita, "aunque fuese de la mala forma como lo es la que uso hasta hoy".

Don Benito mantuvo sus anhelos de aprender Gramática, lo que, con el recuerdo del deseo de su tío de que siguiera la carrera eclesiástica, se fue convenciendo de que el mejor camino para lograrlo era el Colegio Seminario de Oaxaca. A ello contribuyó su impresión de que "los clérigos y aun los que sólo eran estudiantes, sin ser eclesiásticos, sabían mucho". Por tanto, le pidió a su protector Antonio Salanueva, ahora convertido en su padrino, por haberlo llevado a confirmar, permiso para entrar al Seminario.

Desde luego que don Benito carecía de vocación, y más que eso, pues según confesaría más tarde, sentía cierta repugnancia hacia esa carrera. De todas maneras, su pragmatismo consideró que esa era la única forma alcanzar su objetivo de avanzar en sus conocimientos. Don Antonio le prestó su apoyo, no sólo por religiosidad, sino al considerar que el conocimiento de la lengua zapoteca le permitiría al joven Benito ordenarse sin patrimonio, gracias a las leyes eclesiásticas para América.

Así, el 18 de octubre de 1821, sin conocimientos de gramática

CON LA LECTURA
DESARROLLÓ SU
CAPACIDAD DE ESCRIBIR
SUS IDEAS

castellana, "ni las demás materias de la educación primaria", inició el estudio de la gramática latina en el Seminario, "en calidad de capense", es decir, como alumno externo. Como él nos relata, "no sólo se notaba en mí ese defecto, sino en los demás estudiantes, generalmente por el atraso en que se hallaba la instrucción pública en aquellos tiempos". Insistiría también en que ese era el peor legado que habían dejado los españoles en América.

La inscripción de Juárez al Seminario tenía lugar unas semanas después de que Agustín de Iturbide y Vicente Guerrero consumaban la independencia de México al hacer una entrada triunfal en la capital del virreinato.

Ignoramos qué tanto le impresionaron las noticias de estos eventos. No puede haber sido ajeno a ellas, pues los festejos se hicieron en todo el territorio. Don Benito sólo menciona en sus *Apuntes* que "en esta época se habían ya realizado grandes acontecimientos en la Nación".

Es indudable que tanto el nuevo Estado, como el joven Benito, iniciaban una nueva etapa en su vida, llenos de optimismo y con grandes esperanzas, pero a los dos les esperaba un camino plagado de interrogantes y obstáculos. México, con un pasado de prosperidad y riqueza, buscaba recuperarlas, sin ponderar los cambios y herencias que dificultarían conseguirlo. Al pobre capense, la férrea voluntad que nunca lo abandonaría y la claridad de sus objetivos y principios, le permitirían conquistar sus objetivos, pero a costa de muchas amarguras.

JUÁREZ ENTRÓ AL SEMINARIO UNAS SEMANAS DESPUÉS DE QUE ITURBIDE Y GUERRERO CONSUMARON LA INDEPENDENCIA DE MÉXICO

Un país en busca de un sistema de gobierno

El coronel realista Agustín de Iturbide había aprovechado el malestar que invadía a la Nueva España por el pronunciamiento español para restaurar la Constitución de 1812 en el Imperio, para consumar la independencia sin derramamiento de sangre. Después de apalabrar a jefes importantes del ejército y de la sociedad, logró convencer al jefe insurgente suriano, don Vicente Guerrero, a sumarse a su ejército con la jura del Plan redactado por Iturbide.

El 24 de febrero de 1821, en Iguala, se proclamaba el plan que recogía los anhelos de la mayoría de los americanos: igualdad, religión e independencia, al que se agregó la unidad, para atraer a los peninsulares residentes en Nueva España, tan temerosos de la independencia. Como la población novohispana estaba harta del desor-

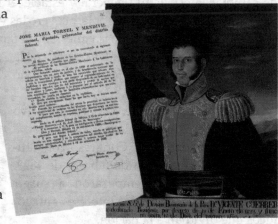

25

den y desilusionada del Rey, el movimiento se extendió rápidamente por todo el territorio, y el plan fue jurado por insurgentes y realistas, ayuntamientos y diputaciones provinciales.

Así, al llegar Juan O'Donojú, el último jefe político español, la independencia era un hecho. Don Juan se dio cuenta de que la separación era irreversible y decidió reconocer la independencia en los *Tratados de Córdoba*, firmados con Iturbide, creyendo que al garantizarse que el trono del flamante Imperio Mexicano, se ofrecería a un miembro de la casa reinante, se preservaría la liga de éste con su exmetrópoli.

El 27 de septiembre de 1821, Iturbide, Guerrero y O'Donojú encabezaron los festejos que celebraban la fundación del Imperio Mexicano, en medio de un desbordante optimismo que parecía olvidar las condiciones deplorables con que se estrenaba. En primer lugar, lo constituía una sociedad multinacional que hablaba más de cien lenguas y dialectos que, además, carecía de experiencia política.

La Regencia que se estableció desaprovechó la oportunidad de cambiar la estructura general y establecer nuevas instituciones y se limitó a sustituir al gobierno. Pero las viejas instituciones se habían desorganizado por la guerra, y el flamante Imperio carecía de recursos para pagar los salarios de la burocracia y un enorme ejército. Un estreno que anunciaba problemas.

Gracias a la buena voluntad que privó en los primeros meses, lograron llevarse a cabo las elecciones y el Congreso constituyente se inauguró el 24 de febrero de 1822. Apenas inaugurado, empezaron a surgir confrontaciones, dados los intereses antagónicos que dividían a la nación.

La situación que era delicada, se hizo crítica al llegar la noticia de que las Cortes españolas y el Rey habían rechazado los Tratados de Córdoba, lo que amenazaba a la nueva nación con el fantasma de una reconquista y dificultaba obtener el reconocimiento de potencias europeas.

El rechazo de los Tratados de Córdoba y la imposibilidad de coronar un Borbón le abría el camino a don Agustín de llegar al trono, pues su popularidad era indudable.

El Imperio no resistió las pruebas. Todos colaboraron para enterrarlo: masones, insurgentes y realistas; borbonistas y republicanos y las élites provinciales aliadas a las Diputaciones Provinciales y Ayuntamientos creados por la Constitución de 1812. Mas con su fracaso, el país pareció dirigirse a la fragmentación del territorio en muchos pequeños y débiles estados.

Algunas de las viejas provincias, entre ellas Guadalajara, Zacatecas, Yucatán y Oaxaca aprovecharon el evento para declararse "estados libres y soberanos" y desconocieron al Congreso y al Supremo Poder Ejecutivo que aquel había nombrado. Un buen número de ciudadanos de las provincias y los oficiales del ejército exigían un nuevo Congreso para erigir el sistema de gobierno. El regionalismo hizo que apareciera el movimiento federalista que deseaba un nuevo pacto político que garantizara su autonomía.

Para impedir la fragmentación del territorio, poder imponer su autoridad y someter a las provincias, el Supremo Poder Ejecutivo tuvo que movilizar tropas, aunque sin el

GUADALAJARA, ZACATECAS, YUCATÁN Y OAXACA SE DECLARARON "ESTADOS LIBRES Y SOBERANOS"

intento de llegar a un enfrentamiento, pues sólo pretendía negociar un convenio desde una base de poder. Durante casi tres meses el viejo Congreso que se negaba a convocar uno nuevo, se vio forzado a hacerlo y en noviembre de 1823 se inauguraba.

El Congreso Constituyente, después de once meses de debates, lograba redactar la Constitución de 1824 y promulgarla el 4 de octubre de 1824, al tiempo que la juraba el primer presidente de la república, don Guadalupe Victoria.

La Constitución declaró a la nación constituida como Estados Unidos Mexicanos, con un sistema republicano, representativo y federal. Aunque la Constitución de Estados Unidos de América sirvió de inspiración a los constituyentes, no dejó de seguir en muchos aspectos a la de 1812.

Muchos consideraron a la Constitución de 1824 una copia de la de Estados Unidos, pero la mexicana resultó ser más radical por el peso del regionalismo, que desconfiado de la ciudad de México, estableció la soberanía de los estados y limitó el poder del gobierno federal que resultó muy débil, al haberle arrebatado el poder fiscal sobre los ciudadanos.

De esa manera, para sostenerse, le quedaron las aduanas y un contingente que debían entregarle los estados, de acuerdo a su población y riqueza, pero que casi ninguno entregó con regularidad. No es extraño que el gobierno federal se endeudara con el exterior en el primer año de funcionamiento y a partir de 1826 empezara a recurrir a préstamos usurarios, quedando pronto cautivo de los prestamistas que le impusieron condiciones verdaderamente exageradas.

Pese a que se debilitó al gobierno federal, la Constitución le atribuyó enormes responsabilidades: pagar la deuda heredada, la defensa del enorme territorio, la pacificación del país, negociar el reconocimiento internacional y un concordato con El Vaticano.

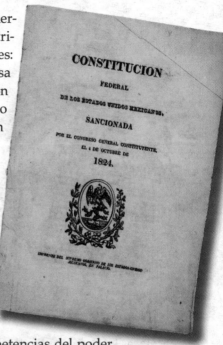

Tanto en el gobierno federal, como en los estatales, el poder supremo fue el legislativo. La debilidad extrema del ejecutivo haría que Guadalupe Victoria, Vicente Guerrero, Anastasio Bustamante, Valentín Gómez Farías y Antonio López de Santa Anna sólo pudieran gobernar con poderes extraordinarios. Por eso, fue el Congreso el que invadió las competencias del poder judicial y ejerció facultades que no le concedía la Constitución, tanto que en 1829 declaró presidente a Vicente Guerrero y un año más tarde lo declaró imposibilitado para gobernar. En 1833 aprobó la "ley del caso" que desterraba a ciudadanos sospechosos de oponerse a las reformas que proyectaba.

La imprecisión constitucional al definir las competencias de los gobiernos federal y estatales, generó graves problemas en su funcionamiento. Las constituciones estatales centralizaron el poder y restringieron el número y facultades de los ayuntamientos, lo que provocó tensiones y explica que en 1835, se inclinaran por el centralismo, pues preferían depender del gobierno federal y no de los estados. Con la idea de que el sistema federal no era "a propósito para hacer la felicidad de los mexicanos", el Ayuntamiento de Orizaba

El Congreso ejerció facultades que no le concedía la Constitución y, en 1829, declaró presidente a Vicente Guerrero

Progresos de la República Mexicana.

pidió en 1835 una "forma de gobierno más analógica a sus necesidades, exigencias y costumbres".[4]

Otro problema incidió en el cambio de gobierno: el de las milicias cívicas de los estados. Las milicias se habían establecido para vigilar el orden local y contribuir a la defensa nacional, pero en varios estados se interpretaron como órganos que debían preservar su soberanía ante el gobierno federal. Esa situación provocó muchas tensiones y cuando el Congreso federal decretó su reducción en 1835, el gobierno de Zacatecas se negó a aplicarlo. Las imprecisiones constitucionales también habían generado problemas, entre ellas las facultades correspondientes al gobierno federal y a los de los estados en las relaciones con la Iglesia.

Un artículo autorizaba al ejecutivo "celebrar concordatos con la silla apostólica", con el consentimiento del Consejo de Gobierno, del Senado y de la Suprema Corte y otro reservaba claramente al Congreso la facultad de "arreglar el ejercicio del Patronato en toda la federación" Ante el principio de que todo lo que la Constitución de 1824 no reservara a la Federación le correspondía a los estados, varias constituciones estatales atribuyeron al gobernador o al legislativo estatal el ejercicio del Patronato –es decir, la facultad de intervenir en el nombramiento de las dignidades de la Iglesia– además del derecho de enajenar bienes al clero.

4   J.Z. Vázquez, *Planes de la Nación Mexicana*. México, Senado de la República, 1987, tomo III, pp. 17-18.

Al iniciarse la década de 1830 el Estado de México, Michoacán y Veracruz, escasos de recursos, procedieron a vender propiedades de la Iglesia, provocando un pronunciamiento militar, además de hacer estallar el descontento popular.

En 1824, el país estaba consciente de que sus tareas prioritarias eran la obtención de recursos para aliviar las necesidades del gobierno y de lograr el reconocimiento de Gran Bretaña que, por su poder y riqueza, era capaz de neutralizar a España y amenazaba al país con una reconquista y parecía contar con el

apoyo de la Santa Alianza. Urgía también expulsar a las fuerzas españolas que hasta 1825 mantuvieron la ocupación de San Juan de Ulúa, estorbando el comercio del puerto de Veracruz.

El afán especulador de los banqueros británicos hizo posible que en 1824, le otorgaran al gobierno dos préstamos. Aunque las condiciones fueron pésimas, permitieron que funcionara el gobierno de Guadalupe Victoria y que lograra expulsarse a los españoles de San Juan de Ulúa. Por desgracia, el gobierno no pudo pagar los intereses, lo que convirtió a la deuda en la pesadilla de los gobiernos del siglo XIX.

Un año más tarde, en 1825, Gran Bretaña reconoció la independencia de México y firmó un tratado ventajoso para el país. Esto permitió que llegaran al país, una avalancha de inversionistas interesados en las minas que yacían inundadas por el abandono durante la guerra de independencia, lo que significó una inyección de recursos a la economía.

Pero la inestabilidad fue constante. La Constitución de 1824 concedía amplio

Sin ingresos suficientes, los estados de México, Michoacán y Veracruz vendieron propiedades de la Iglesia en 1830

voto, pero éste se convirtió en botín de los demagogos que manipularon a los grupos populares, cuya ignorancia les impedía comprender la importancia y la responsabilidad de emitir un voto en las elecciones.

Este mecanismo favoreció a grupos masónicos organizados, dejando a las masas populares marginadas de una verdadera participación política, de manera que para exigir solución a sus demandas, recurrieron a rebeliones periódicas.

La pobreza del erario público imposibilitó el debido funcionamiento del gobierno y provocó tensiones entre los gobiernos estatales y el federal, pues la mayoría de los estados dejó de pagar su aportación constitucional para su sostenimiento. Por otra parte, el cambio de gobierno, las aspiraciones de poder y las diferencias ideológicas produjeron divisiones internas en casi todos los estados, lo que frenó su desarrollo. Uno de los que logró prosperar fue Zacatecas.

El gobierno federal languideció dadas sus limitaciones fiscales. La deuda y bancarrota que arrastraba, hicieron que no pagara puntualmente los intereses de la deuda y el salario de la burocracia y ejército, además de que no pudo comprar lo necesario para una adecuada defensa del territorio. Justo Sierra recalcaría las consecuencias de esta escasez de fondos como causa de constante inestabilidad, recordando el dicho popular de "cuando los sueldos se pagan, las revoluciones se apagan". Por supuesto que muchas de estas rebeliones las causaban también las ambiciones personales de jefes del ejército, que bajo el pretexto de expresar "la voluntad de la nación", se pronunciaban para asaltar el poder.

No obstante, ni los fracasos ni la inestabilidad, anuló la fe de los políticos mexicanos en las Constituciones. Como hombres típicos del XIX, estaban convencidos de que una constitución adecuada era capaz de resolver automáticamente los problemas de la nación.

Por eso, esperanzados y jubilosos juraron la Constitución de 1824 y cuando fracasó, también lo hicieron con las Siete Leyes en 1837. En realidad, la bancarrota hacendaria y las amenazas exteriores no eran fáciles de resolver. El faccionalismo que dividió a diputados y senadores en el Congreso, en parte por su inexperiencia política, obstaculizaba el funcionamiento del gobierno, pero lo más grave fue que, en 1829, también hizo fracasar la legalidad de la primera sucesión presidencial. Los partidarios del general Guerrero no aceptaron la victoria de Manuel Gómez Pedraza y se pronunciaron contra el resultado de las elecciones, lo que teñiría de ilegitimidad a todos los gobiernos hasta 1836.

La situación de la economía, el contraste social y la injusta repartición de la riqueza hicieron fracasar todas las formas de gobierno, federalismo, centralismo y también dictadura. Esto hizo que un gobierno cada vez más débil, fuera incapaz de defender la soberanía nacional. Esto fue grave, pues las dimensiones de su territorio, las de su mercado y su producción de plata tan necesaria para el comercio internacional y el pago de las guerras, convirtieron a México en el país más amenazado del continente.

El Congreso, en parte por su inexperiencia política, obstaculizaba el funcionamiento del gobierno

En ese contexto, el joven zapoteca se convierte en un oaxaqueño liberal

Al tiempo que se fundaba el Estado Mexicano, Juárez iniciaba sus estudios formales en el Seminario de Oaxaca. Su inquietud natural seguramente lo hizo un atento observador de los acontecimientos nacionales y los oaxaqueños. Aunque el joven zapoteca debe haberse concentrado en el aprendizaje de la gramática latina, ya que los aprobó en agosto de 1823 con *Excelentes*.

A pesar de su concentración en aprender la gramática latina, fue un espectador atento de acontecimientos como la jura del Plan de Iguala, la celebración del Imperio constitucional y su derrumbe y la declaración del Estado Libre de Oaxaca.

El nuevo escenario civil contrastaba con el estudio "bajo la dirección de profesores que siendo todos eclesiásticos, la educación que me daban debía ser puramente eclesiástica". En ese año no se abrió curso de Artes y tuvo que esperar un año para iniciar el estudio de la filosofía, "por la obra del Padre Juquier" y experimentó el problema que le producía el deseo de su padrino de que estudiara Teología moral para "al año siguiente comenzara a recibir las órdenes religiosas" y la repugnancia que él sentía ante la carrera religiosa, ahora consciente de que "a los sacerdotes

En 1827, Juárez concluyó el curso de Artes con altas calificaciones

35

se les ridiculizaba llamándolos Padres de Misa y Olla o Lárragos"; el primer apodo por su ignorancia y el segundo porque "sólo estudiaban Teología Moral por el Padre Lárraga". Una muestra de la habilidad para convencer la mostró Juárez al sortear el escollo con tacto y convenció a Salanueva de que, "no teniendo yo todavía la edad suficiente para recibir el Presbiterio, nada perdía con estudiar el curso de artes". Su empeño se vio coronado y Juárez concluyó el curso en 1827, con notas honrosas.

Pero las inquietudes mexicanas se habían polarizado con la caída del Imperio y el regionalismo pareció fragmentar la nación. Oaxaca, Jalisco, Zacatecas y Yucatán se declararon estados libres y soberanos. Después de un intenso intercambio de noticias entre las provincias, muchas apoyaron la propuesta de Jalisco de constituir a la nación como federación.

El movimiento se encauzó y, elegido e inaugurado el nuevo Congreso constituyente, México se constituyó como República representativa, popular y federal.

El contexto político oaxaqueño, como el de la mayor parte de la república, se había escindido y las logias masónicas representaban a grupos tradicionales (escoceses) y a los progresistas (yorkinos). El debate político cobró, según palabras de Juárez, "calor y obstinación, no sólo en el Congreso, sino en el público y en la prensa naciente de las provincias". La situación de Oaxaca era semejante, y como recuerda él mismo, los partidos, el liberal y el retrógado en ese estado tomaron "denominaciones particulares llamándose Vinagre el primero y Aceite el segundo [y] trabajaron

ESTUDIANTES
Y CATEDRÁTICOS
DECIDIERON
PARTICIPAR EN TODAS
LAS CUESTIONES
POLÍTICAS DEL ESTADO

activamente en las elecciones que hicieron de diputados y senadores para el primer congreso constitucional". En un estado con
mayoría indígena, era natural que el primer grito por expulsar
a los españoles lo lanzaran los hermanos León en 1823, el cual
se convertiría después en bandera de los yorkinos que lograrían
aprobar las injustas leyes de expulsión que separaron a muchas
familias y tuvieron desastrosas consecuencias.

Los liberales se impusieron en Oaxaca, lo que permitió la
promulgación de algunas leyes "que favorecían la libertad". Una
de ellas resultaría fundamental para la carrera de don Benito y
para la transformación de ese estado: "el establecimiento de un
colegio civil que se denominó Instituto de Ciencias y Artes", totalmente libre de la influencia de la Iglesia y que abría camino a
nuevas carreras con intereses laicos.

En ese ambiente el joven Juárez había iniciado su politización al igual que buena parte del público y de los estudiantes, y
afectó su futuro. El Instituto de Ciencias y Artes abrió sus puertas
en 1827, ante el rechazo de gran parte de la sociedad. No obstante,
en esa institución se formó la generación re-
formadora que cambiaría el rumbo de
la República y de la cual don Benito
fue miembro destacado. El republicanismo y la politización había
hecho que las vocaciones religiosas declinaran, lo que poco a poco
favoreció al Instituto de Ciencias
y Artes que ofrecía conocimientos
más modernos y con ello amplias
perspectivas para los jóvenes, espe-
cialmente para los pobres.

Uno de los autores de la iniciativa de ley que había creado el
Instituto, pronunció el discurso
de apertura "demostrando las

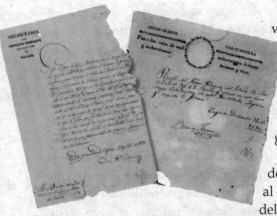

ventajas de la instrucción de la juventud y la facilidad con que ésta podría, desde entonces, abrazar la profesión literaria que quisiera elegir".

Muchos estudiantes del Seminario se pasaron al Instituto y la impresión del discurso hizo que don Benito se inclinara a hacerlo también y en 1828, se pasaba al Instituto para estudiar la carrera de Jurisprudencia, según él expresaría, abandonando la "sotana por la toga". Como Juárez era muy cauto y previsor, antes de hacerlo aprobó el examen de Estatuto en el Seminario. El Instituto fue acusado de casa de prostitución y de albergar catedráticos y discípulos herejes y libertinos, por lo que muchos padres de familia rehusaron mandar a sus hijos a aquel establecimiento y, al final, quedaron en el Instituto sólo unos cuantos estudiantes.

Era natural que el joven al igual que otros del mismo origen, como su amigo y maestro Miguel Méndez, abrazaran con ardor las nuevas ideas. La casa de Méndez se convirtió en centro de reuniones políticas que integró a los inquietos liberales. Esto afectó a toda la sociedad, pues la misma Iglesia se vio dividida y muchos eclesiásticos del país optaron por las ideas progresistas. Así, el dominico Francisco Aparicio, director y maestro del Instituto, abanderó la defensa de los ataques que recibió el plantel.

La hostilidad forzó a estudiantes y catedráticos a tomar parte "en todas las cuestiones políticas que se suscitaban en el estado". Por lo tanto, en 1828, Méndez, Juárez y otros liberales oaxaqueños, se declararon por la candidatura de Vicente Guerrero, evento que Zerecero considera "su bautismo político".

Don Benito no abandonó su compromiso con los problemas de los desposeídos

No tardó el joven Benito en entrar al grupo dirigido por el gran liberal del estado Ramón Ramírez de Aguilar, mismo que después patrocinaría su elección para la diputación local.

Durante 1829, el país y el estado se conmovieron por la sucesión presidencial y la noticia de la llegada de la expedición de reconquista que encabezaba el español Isidro Barradas; los estudiantes del Instituto se alistaron en la milicia cívica y Juárez fue nombrado teniente de una de las compañías. No se materializó el temor de que la invasión tocara el Istmo de Tehuantepec y fue vencida en las cercanías de Tampico, de manera que don Benito no tuvo que distraer sus estudios. Esto permitió que gracias a su empeño y férrea disciplina, a fines de ese 1829 fuera nombrado sustituto de la cátedra de física con una dotación de 30 pesos, lo que le permitía ser autosuficiente.

Es indudable que su sorprendente trayectoria era difícil que se diera en otro lugar de la República, ya que el estado de Oaxaca por sus antecedentes virreinales ofrecía condiciones que favorecían que la vida política fuera más permeable para los grupos poco favorecidos, como lo ha explicado el historiador Brian R. Hamnett. En Oaxaca, el liberalismo no fue campo de intelectuales como en otros estados, sino que se extendió por todos los estratos sociales y étnicos.[5] De esa manera, comerciantes y abogados coloniales acaudalados se convirtieron en liberales destacados, pero también grupos medios y populares.

5   Brian R. Hamnett, *Juárez*. Londres, Longman, 1994, p. 23.

Aunque otros miembros de los mismos grupos preferían un camino más tradicional, lo importante fue que los notables oaxaqueños de cualquier tendencia política no se cerraron a nuevos intereses y permitieron que talentos ajenos a sus filas se incorporaran y que patrocinaran también a jóvenes de origen indígena.

Los empeños de don Benito permitieron que en 1831 concluyera su curso de Jurisprudencia e ingresara al bufete del licenciado Tiburcio Cañas para su práctica jurídica. Eso sucedía al tiempo que la sociedad del país y la oaxaqueña, se conmovía ante el asesinato del presidente Guerrero. El trauma hizo a Juárez refugiarse en su carrera y, un año más tarde, presentaba su examen y obtenía el grado de Bachiller en Derecho y después de cumplir con los requisitos requeridos, el 13 de enero de 1834 recibía su título de Abogado de los Tribunales de la República.

Sus estudios lo habían convertido en un admirador de las leyes y un convencido de la importancia de hacerlas cumplir.

Para ese momento, el joven Juárez era todo un liberal. Fuera de sus rasgos físicos, quedaba poco del zapoteca que había dejado Guelatao para aprender lo que no sabía. Don Benito había sufrido la transformación de identidad que produce la verdadera educación y, sin abandonar el compromiso con los problemas de los desposeídos y de su etnia de origen, era un oaxaqueño liberal, cuyas preocupaciones habían traspuesto los horizontes locales y se identificaban con la de los liberales del mundo de su tiempo.

El movimiento iniciado por Antonio López de Santa Anna contra el vicepresidente Anastasio Bustamante se convirtó en una verdadera revolución que afectó hondamente a todo el país en 1832 y terminó por agrandar los problemas hacendarios del país.

En ese contexto, Juárez fue electo regidor del Ayuntamiento, apadrinado por el coronel moderado José López Ortigoza. Pero el triunfo del movimiento a fines de 1832, favoreció el regreso de los liberales radicales y Ramírez de Aguilar ocupó la gubernatura. Bajo su patrocinio, Juárez fue electo diputado local en 1833, y junto a los diputados Francisco Banuet y Joaquín Mimiaga, promovió una iniciativa para restaurar la memoria de don Vicente Guerrero, declarando que sus restos pertenecían al territorio que le había servido de cadalso y promovieron que el nombre del pueblo de Cuilapan se cambiara por el de Guerrerotitlán.

Por decreto del 23 de marzo de 1833, se logró que se exhumaran los restos de Guerrero y fueran trasladados al Convento de Santo Domingo, en Oaxaca. También se declaró al yerno de Guerrero, el licenciado Mariano Riva Palacio, ciudadano del estado. No se aprobó, sin embargo, el cambio de nombre de Cuilapan.

Ese año, Juárez se vio obligado a tomar parte activa en la defensa de Oaxaca de los ataques de Valentín Canalizo, lo que lo llevó a desempeñarse como ayudante del comandante Isidro Reyes.

Gracias a que don Benito contaba con el primer título de abogado con patente oaxaqueña, la legislatura decidió nombrarlo Magistrado Interino de la Corte de Justicia, cargo que ocupó por poco tiempo, pues con la caída de los radicales, sería desterrado a Tehuacán por algunos meses. Su destierro fue revocado y Juárez

pudo volver a Oaxaca al ejercicio de la abogacía y a ocupar como sustituto, la cátedra de Derecho Canónico en el Instituto.

El cumplimiento de su profesión no dejó de costarle amarguras, pues sus principios le hicieron conmoverse y comprometerse en un problema que cobraría cada vez más gravedad en los pueblos indígenas: el de las excesivas obvenciones parroquiales que cobraban algunos curas.

Juárez reconocía que no todos los curas eran codiciosos, pero a los que lo eran, no era fácil someterlos a las leyes. Según nos contaría, "los vecinos del pueblo de Loxicha ocurrieron a mí para que elevase sus quejas e hiciese valer sus derechos ante el tribunal eclesiástico contra su cura que exigía las obvenciones y servicios personales, sin atenerse a los aranceles". Juárez, convencido de la justicia de sus quejas, procedió a presentar el caso ante el Provisiorato, el tribunal eclesiástico.

El asunto era caso difícil después de la suspensión de las reformas dictadas en 1833. Como era diputado, su solicitud fue atendida y se dio orden al cura de presentarse a responder por los cargos, y decidió que éste no pudiera volver a su parroquia hasta que el juicio terminase. Pero como la administración liberal fue sustituida, un juez eclesiástico permitió al cura volver a su puesto, el cual logró que el prefecto apresara a los quejosos y que se ordenara que si alguno se presentaba en Oaxaca a entrevistarse con Benito fuera aprehendido.

Juárez pidió permiso en el Instituto para ausentarse unos días y se presentó en Miahuatlán, donde sus clientes estaban en prisión. El juez le autorizó hablar con los presos, y no le permitió ver la causa

"TRABAJAR CONSTANTEMENTE PARA DESTRUIR EL PODER FUNESTO DE LAS CLASES PRIVILEGIADAS".

que se les había levantado y, como puntual abogado, pidió que la respuesta se le diera por escrito para poder presentar la defensa de sus clientes. Como se diera cuenta don Benito de que el prefecto dominaba la situación, regresó a Oaxaca. Esto no lo libró de que aquél promoviera que el juez dictara su aprehensión, acusándolo de estar sublevando a los vecinos de Loxicha contra las autoridades. El juez de la capital, sin cumplir con los requisitos del caso, "pasó a mi casa a medianoche y me condujo a la cárcel sin darme más razón que la que tenía que mandarme preso a Miahuatlán". Como expresaría él mismo, la experiencia confirmó su "propósito de trabajar constantemente para destruir el poder funesto de las clases privilegiadas".

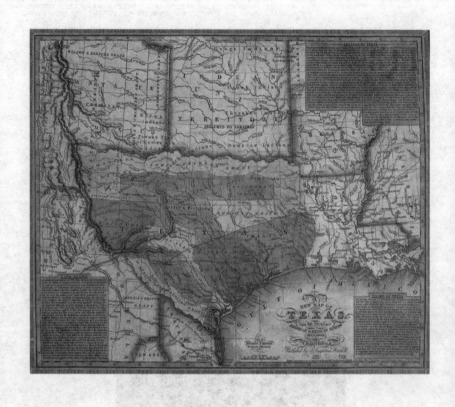

DEL LIBERALISMO CENTRALISTA
A LA RESTAURACIÓN DEL FEDERALISMO

En 1820 el gobierno español había autorizado a un norte-americano que había sido su súbdito en la Louisiana, una concesión de territorio para introducir 300 colonos honestos. El permiso autorizó la entrada de colonos católicos, que pudieran importar todo lo necesario para su vida, con siete años libres de impuestos, pero se exigía que los colonos fueran católicos, juraran la Constitución de 1812 y la legislación vigente. Como estaba prohibida la entrada de esclavos, se suponía que no los introducirían. Un año más tarde, México consumó su independencia, pero como el Septentrión estaba casi deshabitado, el gobierno decidió mantener la misma política, a pesar de que ya tenía noticias del interés norteamericano en obtener Texas. Además, como la frontera era extensísima, el gobierno fue incapaz de vigilarla y de exigir a los colonos que cumplieran con las leyes y los requisitos que se les habían impuesto. Muchos aventureros y colonos pobres entraron y se asentaron donde quisieron, al tiempo que la mayoría de los que fueron introducidos a las colonias, no eran católicos e introdujeron esclavos.

De esa manera en Texas reinó la ilegalidad. Dado que la tierra en Estados Unidos la vendía el gobierno para obtener recursos, la entrada de norteamericanos fue constante y a los diez años, había 10 veces más angloamericanos que mexicanos. Los

problemas principales, además de la diferencia de lengua y costumbres, fueron la esclavitud y la apertura de Aduanas, pues en 1832, habiendo sobrepasado el plazo libre de pago de impuestos, la apertura de la primera provocó una rebelión.

En 1833 se les concedió una extensión de tres años y en 1834, el estado de Coahuila y Texas hizo reformas para aumentar la representación de los colonos, autorizó el uso de inglés en trámites administrativos y judiciales y el sistema anglosajón de juicio por jurado, de manera que se habían atendido sus quejas justas.

No obstante, el antiesclavismo mexicano y la reapertura de la Aduana volvieron a inquietar a los colonos, lo que sirvió a los especuladores de tierras y anexionistas que habían entrado a la provincia a instigar la rebelión contra las autoridades mexicanas. Agentes texanos organizaron clubes en Estados Unidos para obtener armas y municiones y animar a voluntarios a ir a Texas a "luchar por la libertad".

Santa Anna partió al frente de un ejército a someter a los rebeldes. La expedición se inició con victorias, pero un descuido en el campo San Jacinto, permitió a los texanos tomar prisionero a Santa Anna en abril de 1836. La independencia de la República de Texas se consolidó con el apoyo y el reconocimiento de Estados Unidos y México no pudo organizar una nueva expedición por falta de dinero, lo que permitió que Texas se consolidara. El evento causó consternación en México y la obsesión por recuperarla impidió que se reconociera la separación para evitar males mayores.

AGENTES TEXANOS ORGANIZARON CLUBES EN ESTADOS UNIDOS PARA OBTENER ARMAS Y MUNICIONES

Mientras tanto el convencimiento de que el federalismo no funcionaba había desembocado en la redacción de una nueva Constitución. En diciembre de 1836 se promulgaban las Siete Leyes y, el 1° de enero las juraban las autoridades y las corporaciones. La nueva constitución complicaba el funcionamiento del gobierno con un cuarto poder, el Poder Conservador. Los estados se convertían en departamentos y el gobierno central o nacional quedaba a cargo de la hacienda nacional y el control de los impuestos y de su gasto, forma en la que se buscaba fortalecerlo. Pero de inmediato las Siete Leyes produjeron descontento, tanto por la reducción del derecho a voto que ahora exigía

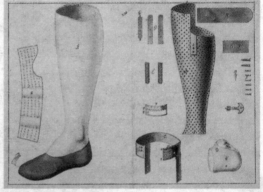

pago de impuestos, como por la supresión de ayuntamientos de poblaciones pequeñas, causa de rebeliones rurales.

Sin resolver ningún problema, el centralismo creó otros nuevos, de manera que el mismo año en que empezó a funcionar, se produjeron movimientos federalistas y pronunciamientos militares de los eternos aspirantes a la presidencia de la república, Antonio López de Santa Anna y Mariano Paredes Arrillaga. Así, la década centralista se convirtió en una de las más inestables del siglo XIX, tanto que Yucatán, Sonora y las Californias prácticamente se mantuvieron separadas de México.

La debilidad del gobierno invitó la intervención de los poderes extranjeros. Texas se empeñó en extenderse hacia Nuevo México y su flota hizo constantes incursiones a puertos mexicanos. En 1838, Francia bombardeó y bloqueó Veracruz, al tiempo que los Estados Unidos

LOS ESTADOS UNIDOS PRESIONABAN POR RECLAMACIONES INJUSTAS E INICIABAN LA PENETRACIÓN HACIA CALIFORNIA

Por donde quiera que fui
La razon atropellé,
La virtud escaneci,
a la justicia burlé,
Y a las mugeres vendí,
a mi patria yo esquilmé
sus congresos disolvi
yo los claustros escalé
en todas partes dejé
maria amarga de mi

presionaban por reclamaciones injustas e iniciaban la penetración hacia California. Texas se convirtió en motivo de problemas con Estados Unidos y al consumarse la anexión en 1845, en causa de una guerra inevitable. Aunque el verdadero motor fuera que el presidente James Polk estaba dispuesto a tomar California a cualquier costo.

Aunque los mexicanos no lo comprendieran entonces, la debilidad no podía superarse con un cambio de gobierno; para 1840, desilusionados y con la convicción de que el experimento de Las Siete Leyes había fracasado, empezaron a surgir dos posibles soluciones: establecer una monarquía con un príncipe europeo o una dictadura militar. Esta última alternativa la apoyaron los comerciantes extranjeros de Veracruz que convocaron a los tres generales más importantes en ese momento para que se pronunciaran y establecieran una dictadura que aboliera un impuesto de 15% sobre los artículos importados. El pronunciamiento contó con el apoyo del ejército, y en octubre de 1841, un acuerdo militar elevó como dueño del poder a Santa Anna que terminó hasta la jura de las Bases Orgánicas en junio de 1843. Éstas ampliaban las atribuciones de los departamentos y aumentaban la representación ciudadana, pero no pudieron resolver los problemas financieros, necesarios para poder defender a un país tan vulnerable que tenía un enorme territorio septentrional deshabitado y un vecino expansionista.

En diciembre de 1844 una "revolución democrática" dirigida por el Congreso con apoyo de la Suprema Corte y el Ayuntamiento de la capital, desaforó al presidente Santa Anna e inauguró un gobierno constitucional que pretendía conciliar a los partidos, combatir la corrupción, ampliar la descentralización y reconocer a la república texana para evitar la guerra con Estados Unidos, pues el presidente, José Joaquin de Herrera estaba consciente de la extrema debilidad del país y la superioridad militar de Estados Unidos. Pero su intento de negociar con Texas fracasó y los federalistas radicales y monarquistas aprovecharon la situación para acusar al gobierno de intentar vender Texas y California.

En ese momento tan delicado, la Corona española organizó una conspiración para establecer una monarquía con un prín-

cipe Borbón en México. El ministro español atrajo a mexicanos desilusionados con el republicanismo para propiciar el cambio y al general Paredes para pronunciarse y establecer un gobierno de transición. Paredes, al mando del mejor ejército de la república, que debía marchar a la defensa de Matamoros, amenazado por las huestes del general norteamericano Zachary Taylor que avanzaban hacia el río del Norte (hoy Bravo), en lugar de cumplir con su deber, marchó hacia la capital y estableció un gobierno dictatorial, de manera que México se encontró más débil ante dos amenazas externas.

Paredes sólo gobernó siete meses. La promoción de la monarquía y la convocatoria a un Congreso elegido entre "las clases propietarias", dividió aún más a la nación. De manera que para el momento en que se dieron las primeras derrotas en Palo Alto y Resaca de Palma, el 8 y 9 de mayo de 1846, habían estallado movimientos federalistas en el sur de México (hoy estado de Guerrero), Jalisco

LO PEOR FUE QUE EL CONGRESO NO ESTUVO A LA ALTURA DEL RETO. POR EL PODER SE OLVIDARON DE LA NACIÓN

y Mazatlán. La noticia de las derrotas causó estupor en la población y terminó de desprestigiar al centralismo y dar fin al intento monarquista. Los federalistas promovían ya un pronunciamiento para restablecer la Constitución de 1824 y la vuelta de Santa Anna, de manera que el 2 de agosto, apenas salía Paredes de la ciudad al frente de un ejército, en la Ciudadela se pronunciaba el general Mariano Salas por el federalismo.

El cambio de gobierno en medio de la guerra obstaculizó la defensa. La elección de autoridades federales, estatales y municipales y la rebatiña de puestos, provocaron confusión y distrajeron la atención de la guerra. Por otra parte, el sistema federal dejó la guerra a cargo del gobierno nacional sin dinero, pues con el bloqueo y ocupación de los puertos por la flota norteamericana, perdió los recursos que proporcionaban las aduanas. Sin defensas, Nuevo México y California no tardaron en ser anexadas a Estados Unidos, que contaba con grandes recursos y hombres para movilizar varios ejércitos al mismo tiempo.

La situación mexicana era lastimosa: una sociedad dividida, un gobierno sin recursos, un ejército poco profesional con armas obsoletas y sin los servicios de sanidad e intendencia, hacían harto predecible la derrota. Lo peor fue que el Congreso no estuvo a la altura del reto, pues sus miembros estaban más interesados en aumentar su poder y se olvidaron de la nación. Basta el ejemplo del enfrentamiento entre radicales y moderados en el levantamiento apodado de "los polkos", organizado por estos últimos para desplazar al impolítico presidente interino Valentín Gómez Farías, que había publicado el decreto de venta de bienes del clero para sostener la guerra. Esto tuvo lugar al tiempo que se daba la batalla de La Angostura y que el general Winfield Scott preparaba su desembarco en Veracruz.

El ejército hizo esfuerzos muchas veces heroicos, pero la superioridad de la artillería moderna norteamericana lo desmoralizó y las derrotas y el sufrimiento de la población se multiplicaron.

A partir del 3 de junio, después de aprobar una ley, el Congreso dejó de reunirse, no sin antes haberle arrebatado la facultad de firmar la paz al ejecutivo, desempeñado por Pedro María Anaya o por el propio Santa Anna. Para mediados de 1847, gran parte del norte estaba ocupado y el avance hacia la ciudad de México fue imparable. Muchos estados reservaban recursos y soldados para el momento de ser atacados, sin darse cuenta de que el objetivo fundamental de Estados Unidos era la ocupación de la capital.

El gobierno nacional, a merced de los usureros, hizo esfuerzos por mantener la lucha, pero los sacrificios fueron inútiles ante la superioridad y el profesionalismo del ejército norteamericano que aseguraron su constante avance.

Pocos estados colaboraron y Guanajuato y Zacatecas se negaron a hacerlo. El mismo Santa Anna fue víctima de la depresión ante la desobediencia de los estados y sus confrontaciones constantes, a pesar de la guerra, como sucedía entre Aguascalientes y Zacatecas. De esa manera, la ocupación de la capital parecía cosa de tiempo. Al avanzar en el valle de México, como desde abril estaba en el país el comisionado Nicholas Trist, para ganar tiempo se negoció un armisticio y los comisionados mexicanos

oyeron sus proposicio-
nes, pero las juzgaron
inaceptables y exage-
radas.

Reanudadas las
hostilidades, después
de la batalla de Cha-
pultepec, Santa Anna
consideró que la ciu-
dad era indefendible
y ordenó la salida del
ejército para evitarle sufrimientos a la población. Así, el 14 de
septiembre la ciudad de México era ocupada y en la noche ondeó la bandera de las barras y las estrellas en Palacio Nacional,
después de una desesperada y costosa defensa. Desde la Villa
de Guadalupe, el 15, Santa Anna renunció a la presidencia y, de
acuerdo a la Constitución, el presidente de la Suprema Corte de
Justicia, don Manuel de la Peña y Peña, la asumió, trasladando el
gobierno a Querétaro. Los federalistas moderados convocaron a
gobernadores y congresistas a presentarse y colaborar en la re-
constitución de la nación y el 2 de noviembre se había presentado
un número suficiente para reunir al Congreso. Éste procedió a
elegir presidente interino, pero como las reuniones mantuvieron
el encono partidista, terminó por disolverse.

Las preocupaciones del gobierno se centraron en efectuar
elecciones para un nuevo congreso y firmar el Tratado de Paz, a
pesar de la oposición de monarquistas y radicales puros y organizar elecciones para un nuevo Congreso, lo que no era fácil
en un país ocupado en gran parte, y que no pudieron
completarse hasta después de firmado el Tratado de
Guadalupe el 2 de febrero de 1848. Los moderados temían que el Congreso lo rechazara por
la pérdida del territorio conquistado por
las armas. Finalmente el Congreso se re-

La ciudad
de México era
ocupada y en la
noche ondeó la
bandera de las barras
y las estrellas en
Palacio Nacional

unió el 7 de mayo. De la Peña presentó el Tratado ante el Congreso el 10 de mayo, junto a una sentida exposición sobre las circunstancias en las que se había hecho cargo del ejecutivo, a la caída de la capital, y subrayó que se hubiera salvado la nación, pues en Estados Unidos muchos querían absorberla por completo. Los comisionados insistieron en que el Tratado, en términos reales, recuperaba territorios ocupados y perdía los que habían sido conquistados mediante la fuerza.

La sensatez se impuso y el 24 de mayo el Congreso aprobó el Tratado y eligió presidente constitucional a José Joaquín de Herrera. Poco después dos senadores norteamericanos se presentaron en Querétaro y se hizo el intercambio de ratificaciones, al tiempo que las tropas invasoras empezaban a abandonar el territorio.

La depresión dominaba el ánimo nacional. A la pérdida de vidas y la destrucción se sumaron rebeliones indígenas y ataques de indios de las praderías ahora norteamericanas, sin que el vecino cumpliera con el artículo XI del Tratado que los comprometía a detenerlas. Por desgracia, los políticos no aprendieron la dura lección y mantuvieron sus discordias y una mancuerna de conservadores y puros obstaculizaron el gobierno moderado.

Juárez se entrena políticamente en el centralismo y entra al escenario nacional

El LIBERALISMO centralista de Las Siete Leyes restringió el voto censitario y abolió los ayuntamientos constitucionales. Los ayuntamientos de ciudades y poblados que los tenían antes de 1808 quedaron bajo el control de prefectos, política que mantendría más tarde el liberalismo reformista. En 1843, las Bases Orgánicas flexibilizaron el sistema, permitiendo la colaboración de los federalistas moderados y de algunos radicales como Ignacio Basadre y Crecencio Rejón.

En Oaxaca, el ambiente político se mantuvo más abierto ofreciendo oportunidades para liberales como Juárez. Después de la experiencia de Loxicha, don Benito se concentró en el ejercicio de su profesión, pero para 1838 aceptaba ser secretario del Tribunal Superior de Justicia y, un año más tarde, en uno de los siete magistrados sustitutos. Para, 1841 era Juez de Primera Instancia del ramo civil y de hacienda. Por su prestigio fue elegido en 1840 como orador en la celebración del 16 de septiembre, con un discurso que interpretaba la independencia como recuperación de la libertad perdida con la conquista; es decir, de acuerdo a la versión de su paisano Carlos María de Bustamante.[6]

EN 1845 TENÍA SUFICIENTE EXPERIENCIA POLÍTICA Y LANZÓ SU CANDIDATURA PARA DIPUTADO

6   Tamayo, *op. cit.*, vol. I, pp. 501-506.

Con sus 37 años en 1843, Juárez tenía una posición respetable en la sociedad oaxaqueña que le exigía formar una familia. Don Benito había convivido con Juana Rosa Chagoya con quien había procreado dos hijos, pero muerta ésta, el 31 de julio de 1843 contrajo matrimonio con Margarita Maza, hija adoptiva del antiguo patrón de su hermana.

La Academia Teórico-práctica de Jurisprudencia premiaba el prestigio que Juárez había alcanzado, al hacerlo su vicepresidente en 1842, junto con José María León que era el presidente. Esta relación y su cabal desempeño, hizo al gobernador Antonio Léon, el federalista "disfrazado" que gobernaba Oaxaca, nombrarlo secretario de gobierno y que la Asamblea Departamental lo requiriera como vocal suplente. Poco después fue elegido Fiscal Segundo del Tribunal Superior del Departamento.

De esa manera, para 1845 tenía suficiente experiencia para entrar de lleno a la carrera política, de manera que lanzó su candidatura para diputado a la Asamblea Legislativa de Oaxaca y la ganó, pero el golpe de Estado de Paredes obligó a la Asamblea a disolverse. Restablecido el federalismo, don Benito volvió a la política y la Junta de Notables nombrada para restablecer el orden federal lo eligió el 11 de agosto de 1846 como miembro del Triunvirato provisional. Ésta violaba la restable-

cida Constitución estatal de 1825 y contradecía los nombramientos de Salas, generando tensiones entre estado y federación, lo que condujo a la intervención del comandante militar del estado. Uno de los triun-viros prefirió declinar y el segundo, José Simeón Arteaga, aceptó la gobernatura, lo que empujó a Juárez a la política nacional al ser elegido uno de los 10 diputados federales y su traslado a la capital de la República..

La "ciudad de los palacios" con sus suntuosos edificios y 200 mil habitantes seguramente deslumbró a don Benito, que llegaba con una carta presentación del gobernador Arteaga para Gómez Farías.[7] En el nuevo Congreso federalista que se inauguró el 6 de diciembre, don Benito mantuvo una actitud casi invisible, quizá porque la capital acentuó su timidez para expresarse en una lengua aprendida; sin embargo, formó parte de la comisión que discutió el decreto del 11 de enero y votó su aprobación.

Fue de los opositores a las reformas a la Constitución propuestas por Mariano Otero, que al final, las suscribieron a cambio de que el Congreso declarara "subversivo" y anticonstitucional el gobierno impuesto por los "polkos" oaxaqueños.[8] Pero los "polkos" mantuvieron el poder en Oaxaca hasta el 22 de octubre con el apoyo de León y el estado colaboró en la defensa, pero negó viáticos a los congresistas, haciendo que Juárez elevara su protesta. La administración fue nefasta para el estado e incrementó los problemas con los pueblos del Istmo.[9]

El conflictivo Congreso de 1847 le arrebató al ejecutivo la facultad de negociar un tratado de paz y, dejó de funcionar en

7   Tamayo, *op. cit.* vol. I, p. 515.
8   Reinaldo t, "El Congreso y la guerra con Estados Unidos de América, 1846-1848" en Josefina Zoraida Vázquez, *México al tiempo de su guerra con Estados Unidos,* 1846-1848. México, SRE, Colmex, FCE, 1997, pp. 47-94.
9   Brian R. Hamnett, "El estado de Oaxaca durante la guerra con Estados Unidos, 1846-1848" en Vázquez, *México durante...,* pp. 360-380.

junio. Los congresistas regresaron a sus estados para no asumir la responsabilidad que les correspondía, al tener que pactar una paz, dejando al gobierno con toda la responsabilidad de la guerra y sin facultades. Juárez permaneció unos días en la capital, pero la falta de dinero lo obligó a volver a Oaxaca en agosto. Llegaba con una experiencia nueva, la nacional, que contribuiría a su conversión en estadista.

Mientras la capital era ocupada y varios estados reasumían su autonomía y se negaban a reconocer al gobierno de De la Peña y Peña, en Oaxaca un movimiento militar derribaba el gobierno. El presidente del Tribunal Superior de Justicia, Marcos Pérez, se hizo cargo del ejecutivo el 23 de octubre de 1847, y fue el primer gobernador de origen indio en Oaxaca. Pérez restituyó la legislatura, misma que eligió a Juárez gobernador el 29, en una situación irregular. No fue electo constitucionalmente sino unos meses más tarde.

Juárez era un liberal hecho y aunque leía latín, francés e inglés, no contaba con la brillantez de un Melchor Ocampo; en cambio tenía pasta de estadista, como lo denotan sus notas a algunas obras. Las de Tácito y la *Historia de los Reyes Católicos* de William Prescott, parecen haberle despertado mucho interés. Del primero extrajo sentencias como "las enfermedades graves, agravadas por el tiempo, no se curan sino con remedios violentos" (¿pensaba acaso en las Leyes de Reforma?); "en las discordias civiles no hay cosa más segura que la rapidez. Entonces conviene obrar, no deliberar". Del libro de Prescott subrayó una sentencia terminante, "en

JUÁREZ TENÍA MADERA DE ESTADISTA, COMO LO DENOTAN SUS NOTAS A ALGUNAS OBRAS

el ejercicio del poder supremo, un hombre dévil [sic] es más perjudicial que un malvado".[10]

Durante su gobernatura su preocupación principal fue pacificar al estado, por tanto no permitió que Santa Anna traspusiera sus límites, agravio que éste no le iba a perdonar y que atribuiría a que, dizque en diciembre de 1828, "con su pie en el suelo y calzón de manta [le había servido] en la casa de Manuel Embides".[11]

Abrigó el temor de que los norteamericanos atacaran por el Istmo, por lo que incrementó la Guardia Nacional. Se esforzó en convertirse en ciudadano modelo, lo que hizo famosa su honestidad y su puntualidad, pues su llegada a su oficina coincidía todos los días con las campanadas de las 9, lo que hizo comentar a las malas lenguas que parecía albañil. Asimismo, al morir su hija en 1850, aunque la ley exentara al gobernador de la prohibición de enterrar muertos en los templos, lo hizo extramuros, "para dar ejemplo de obediencia de la ley".

Su anticorporativismo no lo llevó por entonces a enfrentarse con la Iglesia y sólo se redujo a criticar el cobro de obvenciones excesivas. En cuanto a otras instituciones, expresó su beneplácito por la restauración del federalismo que devolvía a los pueblos "no sólo sus ayun-

10   Carlos Sánchez Silva, *Lecturas de Juárez*. México, Amigos de los Archivos y Bibliotecas de Oaxaca, A.C., 1998.

11   Genaro García, *Documentos inéditos o muy raros para la Historia de México*, México, Porrúa, 1974, p. 45.

tamientos y repúblicas, sino el derecho de elegir conforme a sus antiguas costumbres". No obstante, subrayó la necesidad de que "las leyes sobre la división política y judicial del territorio, sufran las reformas que las necesidades y circunstancias los pueblos exigen".[12] Como no dejó de enfrentar problemas con ayuntamientos y repúblicas, en su "Exposición al Congreso" del 2 de julio de 1852, consideró indispensable "controlarlos, pues por el legado de las disensiones y la ignorancia general de la clase indígena, se desentendían de sus obligaciones y hacían mal uso de los fondos".[13] Tal vez esto reflejó el gran tropezón que significó su enfrentamiento con una rebelión del Istmo. La venta de las salinas y de las haciendas de Hernán Cortés había dejado a sus habitantes sin medios de vida. Para controlar la rebelión decidió nombrar a uno de los líderes jefe de la Guardia Nacional local y gobernador a uno de sus rivales, pero en lugar de confrontarse, terminaron por unirse contra él. El asunto llegó a tal grado que Juárez acudió a tratar de conciliar intereses, pero no pudo y terminó su periodo sin resolverlo, a pesar de su simpatía por los problemas que afectaban a las etnias.

Al concluir su periodo, fue nombrado director del Instituto y catedrático de Derecho Civil, pero no los pudo disfrutar, pues la persecución de Santa Anna lo alcanzó en mayo de 1854. Fue conducido a Jalapa, donde trató de ejercer como abogado. Fue apresado y luego desterrado a La Habana. Ahí permaneció hasta diciembre y después pasó a Nueva Orleans donde se habían asilado Melchor Ocampo, Ponciano Arriaga y José María Mata. En su estancia, se relacionó con los desterrados cubanos y desarrolló una gran amistad con Pedro Santacilia, quien más tarde, en 1863

12   Tamayo, *op.cit.* vol. I, pp. 582, 720 y 804.
13   *Ibid.*, pp. 780 y 781.

se casaría con su hija Ma-
nuela.

El destierro con-
solidó la amistad de los
liberales, cuyo tema recu-
rrente de discusiones eran
los problemas de México
y las noticias que recibían.
Este diálogo constante enri-
quecería el pensamiento de
Juárez. Mientras don Benito,
lleno de añoranzas y preocupaciones, tenía que hacer toda
clase de trabajos modestos,
entre ellos torcer puros, doña
Margarita, para poder sostener a sus hijos en Oaxaca, puso
una tiendita en Etla.

Para mayo de 1855, una parte de los exiliados se trasladaron
a Brownsville y fundaron la Junta Revolucionaria, la que finan-
ciaría el traslado de Juárez a Acapulco donde estaba Juan Álvarez, que encabezaba la lucha contra el dictador. Después de una
larga travesía a través de La Habana y Panamá, en julio de 1855
llegaba a su destino, donde Álvarez lo nombró su secretario.

La revolución estaba cerca del triunfo, ya que el general
Ignacio Comonfort había logrado unir a varias facciones. Santa
Anna, totalmente desprestigiado y agotado el dinero de los pagos de la venta de La Mesilla, decidió huir y el 9 de agosto abandonó la capital y el 16 se embarcó en Veracruz.
Mientras los pronunciados avanzaban hacia el centro, los exiliados emprendían el regreso.

El ejército intentó que los liberales re-
conocieran al presidente interino nombrado
por Santa Anna, pero Álvarez se mantuvo

SANTA ANNA,
TOTALMENTE
DESPRESTIGIADO Y
AGOTADO EL DINERO
DE LOS PAGOS DE LA
VENTA DE LA MESILLA,
DECIDIÓ HUIR

firme y un consejo de representantes de los estados se reunió en Cuernavaca y el 4 de octubre eligió a Álvarez presidente interino. Pero había que lograr la conciliación de opiniones sobre la reorganización de la República.

Los dos destinos se conjugan

Álvarez incorporó a su gabinete a intelectuales de mediana edad y buena educación y Juárez ocupó la Secretaría de Justicia. Algunos eran puros como Ocampo y otros moderados como Comonfort. Álvarez, un viejo líder de poblados mulatos e indígenas del estado de Guerrero, creado durante la guerra con Estados Unidos, se sentía incómodo con la vida política de la capital y las necesidades de mediar entre las facciones. Ocampo, molesto por las confrontaciones con Comonfort, terminó por renunciar.

Don Benito, más pragmático y menos dogmático, permaneció y logró que se promulgara la famosa Ley Juárez, que suprimía los fueros y facultaba al gobierno federal para nombrar a los miembros de la Suprema Corte de Justicia, "la chispa que produjo el incendio de la Reforma", según su expresión.

Convocadas las elecciones para un Congreso Constituyente, Manuel Doblado y José López Uraga exigieron el retiro de Álvarez quien, viejo y cansado de las intrigas, el 11 le entregó la presidencia a Comonfort. El gabinete incorporó moderados, pero también al puro Miguel Lerdo de Tejada. Don Benito renunció el 9 de diciembre[14] pero fue nombrado gobernador de Oaxaca y con ilusión se trasladó

ORDENÓ REABRIR EL
INSTITUTO DE CIENCIAS
Y REORGANIZAR LA
GUARDIA NACIONAL

14 Tamayo, *op. cit.*, vol. 2, p. 125.

hacia allá para reunirse con su familia después de tres largos años de separación. Don Benito llegó a Oaxaca el 10 de enero de 1856 y fue recibido por el obispo a las puertas de la ciudad con el ceremonial y el tedéum acostumbrado.

Juárez, rodeado de puros, se empeñó en reorganizar el estado, estimular su economía y recuperar el Istmo que Santa Anna le había quitado a Oaxaca. Hizo reabrir el Instituto de Ciencias y reorganizar la Guardia Nacional. A pesar de sus ocupaciones, se tomó tiempo para hacer una extensa representación contra el *Estatuto Orgánico Provisional de la República*, expedido por Comonfort, que establecía el centralismo.[15]

Mientras tanto en la capital, el 14 de febrero de 1856 se reunía el Congreso que mantendría debates acalorados hasta el 5 de febrero de 1857. Los moderados dominaban los 155 diputados, pero por su precisión, claridad de principios y su organización, los puros dominaron los debates. Mientras se debatía la Constitución, Comonfort enfrentó revueltas conservadoras.

El costo de someter a Puébla, lo radicalizó y el 31 de marzo de 1856 un decreto autorizó a los gobernadores de Puebla, Veracruz y Tlaxcala a intervenir "a nombre del gobierno nacional, los bienes eclesiásticos de la diócesis de Puebla" para indemnizar "a la República de los gastos hechos para reprimir la reacción".[16] Esta medida preparó el terreno para que el 25 de junio de 1856 se publicara la Ley Lerdo, que desamortizaba los bienes del clero. De estos, las fincas rústicas y urbanas eran adjudicadas en

15   *Ibid.* pp. 186-188.
16   "Decreto del 31 de marzo de 1856", en Vicente Riva Palacio (ed), *México a través de los siglos*, México, Editorial Cumbre, vol. IX, s.f. pp. 123-124.

propiedad a los arrendatarios "por el
valor correspondiente a la renta [...],
calculada como rédito al 6% anual".
Las no arrendadas, a excepción de
las destinadas al culto, se remata-
rían.[17] Esto cumplía el viejo sueño liberal, pero como era extensivo a otras
corporaciones, también afectó a los
ayuntamientos y a las comunidades
indígenas, generando rebeliones rurales.

 Juárez de inmediato dio cumplimiento a la ley y pidió la adjudica-
ción de "una casa situada en la calle
del Coronel, de la ciudad de Oaxaca". Su intento, como él precisó,
era dar ejemplo, "no la mira de especular me guió para hacer esta
operación".

 Como Lerdo, Juárez confiaba que la abolición de la propiedad corporativa removería el mayor obstáculo al desarrollo económico, aunque él sí estaba consciente de las desventajas para la
población indígena, por lo que trató de paliarlas. Sus medidas
evitaron problemas, pero no logró evitar que la enajenación de
tierras arrendadas a comunidades de Tlaxiaco provocara graves
tensiones. Este tipo de problemas intentó enmendarlos la resolu-
ción de 9 de octubre de Comonfort, al eliminar los impuestos de
venta que afectaban mucho a los indígenas,[18] medida que utilizó
Juárez para proteger a las comunidades.

 El contexto de rebeliones en los que trabajaron los constituyentes hizo que moderaran su reformismo para evitar la ruptura.
La Constitución de 1857 resultó más conciliadora que lo previsto.
Como en la de 1824, el gobierno federal quedó supeditado a los
estados, lo que condenó al gobierno federal y al ejecutivo a la

---

17 *Ibid.* pp. 150-151.
18 Manuel Dublán y José María Lozano, *Legislación Mexicana*, México, Imprenta de Comercio,
1877, vol. VIII, p. 284.

debilidad. El legislativo mantuvo la supremacía y, hasta 1874, estuvo investido en una sola cámara.

El poder judicial federal, convertido en protector de las garantías individuales y estatales, se fortaleció y limitó algo la "soberanía" estatal. Se prohibieron alianzas y coaliciones entre estados o de estos con potencias extranjeras y se mantuvo el voto indirecto para la elección de autoridades federales. No obstante la mayoría de las constituciones estatales, derivadas de la de 57, optaron por el voto directo y popular para elegir a sus gobernadores. La más importante novedad de la Constitución fue el hacer una "declaración de derechos del hombre".

La Constitución, como afirmó José Fuentes Mares, "significó un parteaguas de nuestra historia", sin que lograra satisfacer ni a radicales ni a conservadores. Él mismo lamenta que la Iglesia no comprendiera que esa nueva ley "era la base de un México moderno y civilizado" y respondiera con "la excomunión a los juramentados", multiplicando "candidatos para engrosar las filas reformistas".[19]

Juárez publicó la Constitución en su estado. A pesar de la recepción hostil del clero, los liberales se apresuraron a redactar la Constitución estatal correspondiente y, jurada, se hicieron las elecciones que reeligieron a Juárez gobernador. Para mostrar su oposición, el clero cerró la catedral y creyó que el gobernador haría uso de la fuerza para realizar el tedéum acostumbrado, pero don Benito aprovechó el incidente para cancelar "la costumbre que había de que los gobernantes asistiesen hasta a las procesiones y aun a las de monjas".

A DIFERENCIA DE COMONFORT, JUÁREZ ERA SERENO Y SEGURO DE SUS METAS

---

19 José Fuentes Mares, *Biografía de una nación. De Cortés a López Portillo*, México, Océano, 1982, p. 167.

Su gubernatura constitucional fue corta, pues fue llamado en septiembre por Comonfort para ocupar el ministerio de Gobernación. El Congreso le otorgó el permiso y el 27 de octubre de 1857 abandonó Oaxaca, sin que volviera más. Para entonces, las elecciones de junio habían favorecido a Comonfort para encabezar el ejecutivo y a Juárez para la presidencia de la Suprema Corte de Justicia.

Los desórdenes agobiaron a Comonfort y, al asumir la presidencia el 1 de diciembre, estaba lleno de dudas y sus menciones a la conveniencia de hacer "saludables y convenientes reformas" a la Constitución, despertaron rumores.[20]

Don Benito asumió la presidencia de la Corte, pero como el Congreso desconfiaba de Comonfort, aprobó que mantuviera al mismo tiempo la cartera de Gobernación. A diferencia de Comonfort, Juárez era sereno y seguro de sus metas. Manuel Payno, su ministro de Hacienda, nos dejó el relato de cómo el conservador Félix Zuloaga, el exaltado radical Juan José Baz y él mismo le confesaron su convencimiento de que era imposible gobernar con la Constitución, Comonfort comenzó a analizar proyectos de una revolución.[21] Zuloaga y Baz se apresuraron a prepararla, mientras el presidente sólo le comunicaba a Juárez su decisión de "cambiar de política".

Según Payno, don Benito, sin perder la compostura, le deseó suerte, pero advirtiéndole que no lo acompañaría. De esa

20   Los presidentes mexicanos ante la nación, vol. 1, p. 443.
21   Manuel Payno, Memorias de la revolución de diciembre de 1857 a enero de 1858, México, INEHRM, 1987.

manera, Comonfort no vio el Plan de Tacubaya sino cuando estaba impreso y, hasta entonces, se percató de la gravedad de lo hecho y exclamó, "acabo en este momento de cambiar mis títulos legales de presidente, por los de un miserable revolucionario".[22]

Pero el mal ya no tenía remedio y el 17 de diciembre, los cañonazos anunciaban el pronunciamiento. Los puros renunciaron de inmediato a sus puestos y Juárez fue detenido e incomunicado. El Congreso y muchos estados desconocieron al presidente, mientras los conservadores violaban el acuerdo y Baz se despronunciaba. Comonfort fue desconocido por Zuloaga el 11 de enero y, consciente de su error, liberó a Juárez y el 20 renunció. De acuerdo a la Constitución, Juárez se convertía en presidente interino. La conciliación se eliminaba y se iniciaba la verdadera revolución.

Los conservadores convocaron a una Junta de representantes de los estados que eligió presidente a Zuloaga, quien tomó posesión el 23. Los conservadores contaron con el apoyo de la mayoría del ejército y el material y moral de la Iglesia. El cuerpo diplomático le extendió su reconocimiento por ser dueño de la capital. Zuloaga no fue capaz de dirigir la lucha y fue relevado por Miguel Miramón, un líder decidido y audaz.

Juárez abandonó la ciudad el 12 de enero y llegó a Guanajuato, donde el 19 de enero estableció su gobierno con Ocampo, Guillermo Prieto, Manuel Ruiz y León Guzmán en el gabinete. El avance conservador lo forzó a trasladarse a Guadalajara el 13 de febrero, donde víctima de un atentado en marzo, pasó a Colima el 20. Como requería de un lugar dominado por liberales y con

---

22   *Ibid.*, p. 101.

recursos para sostener al gobierno, decidió embarcarse el 11 de abril hacia Panamá para trasladarse a Veracruz adonde llegó el 4 de mayo, vía La Habana y Nueva Orleans.

Las fuerzas liberales estaban formadas casi completamente por guardias nacionales, pero la desventaja que significaba la compensaba la legitimidad constitucional. Contaban con estados del centro-norte y de las costas. Dado que la Constitución había mantenido la debilidad del ejecutivo, Juárez tuvo que imponer su autoridad. Aunque lo opacaban los intelectuales brillantes y los líderes regionales surgidos durante la revolución de Ayutla, sus grandes dotes de político permitieron a don Benito apuntalar su gobierno en la ley.

Gracias a las facultades extraordinarias que el Congreso había concedido a Comonfort en noviembre de 1857, Juárez pudo utilizarlas hasta el 9 de mayo de 1861 y, como no había Congreso, se erigió como único poder constitucional legítimo. Esas armas le permitieron lidiar con gobernadores fuertes como Manuel Gutiérrez Zamora (Veracruz), Jesús González Ortega (Zacatecas), Santos Degollado (Michoacán) y Santiago Vidaurri (Nuevo León-Coahuila), quienes aunque lo reconocieron como representante del constitucionalismo, no siempre obedecieron. Según Brian R. Hamnett, la suerte jugó a su favor y al tiempo que en las derrotas los fuertes se debilitaban, Juárez los neutralizaba maquiavélicamente al enfrentarlos unos contra otros.

Veracruz liberal y puerta de la República resultó la sede ideal en esas condiciones. Aunque los veracruzanos respondían a Zamora, a Lerdo y a Ignacio de la Llave, sus diferencias permitieron que Juárez las aprovechara. Como Ocampo difería de Lerdo, Juárez logró controlar la situación, mediante un hábil ajedrez político.

La sangrienta guerra consumió los recursos de los dos partidos. Los gobernadores liberales confiscaron bienes eclesiásticos para sostener la lucha, adelantándose al gobierno nacional en la instrumentación de la Reforma. La gran preocupación de

Ocampo era que los estados vendieran bienes de la Iglesia porque se apropiaban el producto de su venta, con lo que se esfumaba el sueño liberal de sanear la hacienda pública con su producto, además de temer, con razón, que la medida favoreciera a unos cuantos, en lugar de convertirse en medio para formar la clase de pequeños propietarios que el país requería.

Los conservadores obtuvieron muchas victorias y sitiaron Veracruz, lo que pareció anunciar la derrota liberal, pero al avanzar Degollado hacia la capital, Miramón tuvo que retirarse de Veracruz para defenderla. Este peligro convenció a los puros que requerían medidas drásticas para salvar la causa. Lerdo estaba convencido que la nacionalización de los bienes de la Iglesia facilitaría que Estados Unidos concediera un préstamo. Esto probó ser falso, pues al viajar al vecino país, constató que al presidente James Buchanan lo único que le interesaba comprar era Baja California.

Por fortuna para los liberales, como los conservadores se habían negado a vender territorio, el gobierno norteamericano decidió acercarse a Veracruz para tantear si los liberales eran más flexibles. Buchanan optó por enviar a Robert McLane como ministro plenipo-

CUANDO
JUÁREZ
DECRETÓ LAS
LEYES DE REFORMA,
SU SENTIDO POLÍTICO
LE ACONSEJÓ NO ATIZAR
EL INCENDIO

tenciario, con facultades para decidir sobre el terreno. McLane llegó a Veracruz y las dotes diplomáticas de Ocampo lograron que extendiera el reconocimiento en abril.

Pero había que discutir un Tratado de materia muy difícil, de manera que Ocampo la retrasó cuanto pudo, intentando reducirla a la firma de una alianza de defensa de las "instituciones republicanas".[23] Al final, el Tratado McLane-Ocampo otorgó lo mínimo que se pudo: reiteró privilegios y cruces por territorio mexicano –inconvenientes pero que de hecho se habían concedido en el artículo VIII del Tratado de La Mesilla– aunque para Justo Sierra fue de todas maneras "un suicidio".[24] La fortuna jugó a favor de los liberales y el Senado norteamericano rechazó el tratado.

Juárez decretó las Leyes de Reforma en un complejo contexto. Sus principios liberales eran firmes, pero su sentido político le aconsejaba no atizar el incendio. Aunque las diferencias de su gabinete eran de matiz, eran importantes. Juárez y Ocampo querían someter a la Iglesia al poder civil, pero no aniquilarla como pretendía Lerdo. Sin embargo, la hora de la reforma definitiva había llegado y el 12 de julio de 1859 publicó los decretos que nacionalizaban los bienes del clero, la separación de la Iglesia y el Estado, la exclaustración

---

23 Ralph Roeder. *Juárez y su México*. México. FCE, pp. 324-325.
24 Justo Sierra, *Juárez, su obra y su tiempo*, México, UNAM, 1972. Fuentes Mares, *op. cit.*, p. 117.

del clero regular y la extinción de corporaciones eclesiásticas; el 23 de julio, se estableció el registro civil de nacimientos, matrimonios y defunciones y el 31, la secularización de cementerios.

La tolerancia de cultos tuvo que esperar al 4 de diciembre de 1860. Don Benito se dio cuenta cabal del paso que había dado y en una carta del 12 de julio a Santacilia, en la que le adjuntaba los decretos, le comentaba: "para mí estos puntos eran los capitales que debían conquistarse en esta revolución y si logramos el triunfo nos quedará la satisfacción de haber hecho un bien a mi país y a la humanidad",[25] es decir que su pensamiento iba más allá de su acción.

En una misiva a Doblado era elocuente su radicalismo; admitía que las leyes despertarían acusaciones, pero proporcionarían "recursos y con ellos el desarrollo en toda su plenitud de la idea liberal. La de matrimonios civiles, aunque no tan perfecta como la anterior, porque no autoriza a los divorciados a casarse en segundas y terceras nupcias en vida de los cónyuges, se reformará a su debido tiempo".[26]

Pero las pruebas para los liberales todavía nublaron el 1860. El año se inició con el sitio de Veracruz por los conservadores, por tierra y por mar. Gracias a una supuesta "alianza" con Estados Unidos, don Benito se atrevió a solicitar a la flota norteamericana que detuviera dos barcos adquiridos por Miramón para apoyar el sitio desde el mar; eso probaría ser decisivo, ya que éste tuvo que levantar el sitio y la balanza se inclinó a favor de los liberales. Todavía Juárez tuvo que someter a Vidaurri por amenazar con separar el noreste.

Los dos partidos estaban desesperados por obtener recursos. Eso llevó a algunos generales liberales y conservadores a hacer decisiones costosas para la nación: hacer compromisos internacionales, emitir bonos onerosos o apropiar dinero de las conductas o de las misiones extranjeras. Miramón tomó dinero de la representación británica y reconocía exigencias injustas de España en el Tratado Mon-Almonte.

---

25   Juárez a Santacilia, 12 de julio de 1859. Jorge L. Tamayo, *Epistolario de Benito Juárez*, México. FCE, 1957, p. 99.
26   Juárez a Doblado, 18 de agosto de 1859. Tamayo, *Documentos*, vol. 2, p. 569.

El cansancio también inspiró derrotismo. Juárez no aceptó la mediación que ofrecían los ministros extranjeros, pero Lerdo llegó a convencerse de que la única salida era buscar un acomodo con los conservadores, sugiriendo sustituir al presidente por un triunvirato, pero como violaba la Constitución, el gabinete lo rechazó, lo que hizo a Lerdo renunciar el 30 de mayo.[27]

A su vez, Degollado capituló ante la oferta británica de mediación, que Miramón consideró como una solución al callejón sin salida en que se encontraba, al tiempo que dividía a las filas liberales en la recta final. Juárez le reprochó que intentara dejar el desenlace, "no ya al arbitrio del pueblo mexicano que ha cerca de tres años derrama su sangre por defender su Ley Fundamental, ni siquiera en manos de los reaccionarios que al fin son mexicanos, sino en las de una corporación extranjera".[28] Esto llevó a la deserción de Degollado, que fue menos costosa porque coincidió el ascenso de la estrella de Jesús González Ortega, que en agosto derrotó a Miramón en Silao y ocupaba después Querétaro y Guadalajara.

Finalmente, el 22 de diciembre la victoria de Calpulalpan le permitía ocupar el 25 la ciudad de México, con lo que los liberales pudieron festejar al mismo tiempo la Navidad y el fin de la Guerra de Tres Años.

---

27   *Ibid.*. vol. 2. p. 763.
28   *Ibid.*. pp. 811; 841-851; 863-873.

Juárez había logrado mantener unido un gobierno en medio de una guerra civil, trágica y violenta; promulgar las Leyes de Reforma; resistir las presiones norteamericanas de ceder territorio y consolidar su reconocimiento como presidente de un gobierno constitucional.[29]

Como resume Fuentes Mares, "Juárez era vencedor indiscutible, no el hombre de bronce de los textos escolares... sino el dúctil, maleable hombre de caucho o de plomo. El hombre que sin problemas de conciencia tomaba decisiones prácticas. El que sin pestañear sacrificaba los escrúpulos a sus fines: el verdadero hombre de Estado."[30]

Al entrar a la ciudad de México el 11 de enero de 1861, Juárez era ya un político experimentado, capaz de mediar entre las facciones liberales, así como de incorporar opositores, que lograría mantenerse a flote en medio de las tempestades.

Pero el triunfo no daba fin a las hostilidades. Los liberales radicales exigieron juicios y fusilamientos, mientras algunos militares vencidos vengaban con asesinatos, haciendo víctimas de Ocampo y Degollado. Aunque Juárez se inclinaba por la reconciliación, expulsó al Nuncio Papal, a los ministros de España, Ecuador y Guatemala, al Arzobispo y a varios obispos.

Leal a la constitucionalidad, desde noviembre Juárez había convocado elecciones para el Congreso y para la presidencia. Éstas despertaron rebatiña y acusaciones a Juárez, quien tuvo dos contendientes de peso, Lerdo con su enorme prestigio –considerado por muchos como autor de la Reforma–, y

JUÁREZ MANTUVO UNIDO UN GOBIERNO EN MEDIO DE UNA GUERRA CIVIL, TRÁGICA Y VIOLENTA

29   Ivie E. Cadenhead, *Benito Juárez y su época*, México, El Colegio de México, 1975, p. 69.
30   Fuentes Mares, *op. cit.*, p. 177.

González Ortega, que contaba con el brillo de las armas. Pero la votación favoreció a don Benito con 5,141 votos contra 1,957 del primero y 1,845 del segundo.

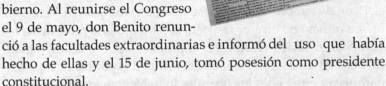

Aunque Juárez no había cedido a las presiones para cambiar de gabinete, las reiteradas renuncias de Ocampo y Mata, hicieron al gabinete el más radical de su largo gobierno. Al reunirse el Congreso el 9 de mayo, don Benito renunció a las facultades extraordinarias e informó del uso que había hecho de ellas y el 15 de junio, tomó posesión como presidente constitucional.

La tarea no sería fácil con un Congreso difícil y gobernadores fuertes. La débil posición que el federalismo había impuesto al ejecutivo desde 1824, hacía conflictiva la relación con el legislativo. Buena parte de los diputados le era hostil y 51 suscribieron una petición de renuncia, que rechazaron otros tantos.[31] Sus notas y sus *Apuntes* dan cuenta de sus dificultades. La prensa, el "cuarto poder", utilizó la ilimitada libertad para atacar a don Benito sin misericordia.

A pesar de la victoria, México estaba otra vez en situación crítica. El desorden reinaba y la guerra había fortalecido a jefes militares que obstaculizaban toda cooperación con el gobierno nacional, en especial el ambicioso Vidaurri que había vuelto al poder. La venta masiva de bienes del clero, hecha con descuentos y pagada, en buena parte con bonos de la deuda pública, no alivió las penurias por lo que los ministros de

---

31   Tamayo. *Documentos*, vol. 5. pp. 13-17.

AUNQUE
EL CONGRESO SE
NEGABA A CONCEDERLE
A JUÁREZ FACULTADES
EXTRAORDINARIAS, LA
AMENAZA EXTERNA LO
OBLIGÓ A APROBARLAS

Hacienda cambiaron en forma constante. Para rematar el cuadro, en abril estallaba la guerra civil en Estados Unidos, dejando a México sin aliados ante las ambiciones francesas.

La falta de fondos hizo al gobierno decretar la suspensión de pagos el 17 de julio. No significaba que México desconociera sus deudas, pero sirvió de pretexto perfecto para los planes imperiales de Napoleón III, quien convocó a España y Gran Bretaña para reunirse en Londres y discutir una conducta conjunta. En octubre, los tres países firmaban la *Convención* que decidía el bloqueo de los puertos para presionar el pago de los adeudos.

Aunque el Congreso era reacio a concederle a Juárez facultades extraordinarias, la amenaza externa lo obligó a aprobarlas el 11 de diciembre. Ante el desembarco extranjero en Veracruz, Juárez ordenó no ofrecer resistencia para quitarle pretextos a los europeos, confiado en resolver el problema por la vía diplomática. Pero las ambiciones francesas, instigadas por mexicanos monarquistas, entre ellos los liberales Juan Nepomuceno Almonte y José María Gutiérrez de Estrada y el "reaccionario" obispo Pelagio Antonio Labastida.

Entre diciembre y enero aparecieron las flotas frente a Veracruz. El pacifista Juárez autorizó que las tropas desembarcaran y se situaran en lugares salubres, con el compromiso de embarcarse en caso de romperse las hostilidades. El ministro de Relaciones, Manuel Doblado, partió a reunirse con los comisionados. Las reclamaciones españolas y británicas podían considerarse "razonables" y el liberal español Juan Prim, no tardó en darse cuenta del juego sucio de los franceses.

Gran Bretaña y España decidieron firmar los Tratados de la Soledad y aceptaron la suspensión temporal de pagos. En abril iniciaron la retirada.

El descaro francés hizo que llegaran refuerzos, junto a Juan Nepomuceno Almonte, quien en su *Manifiesto* del 17 de abril desconocía al gobierno. Sin cumplir con el compromiso de volver a embarcar, el 19 de abril tuvo lugar la primera agresión y el ejército francés inició su avance. Juárez hizo un llamado a los gobernadores y a los mexicanos de todos los partidos para aprestarse a la defensa. Zacatecas y San Luis Potosí contestaron con prontitud. Vidaurri, que gobernaba el dinámico Nuevo León, cuyo comercio había incrementado con la Guerra Civil de Estados Unidos, no reaccionó. El 3 de mayo, el Congreso prorrogó las facultades extraordinarias al presidente para enfrentar la amenaza francesa.

Ignacio Zaragoza, comandante del Ejército de Oriente, se trasladó a Puebla para organizar la defensa. La batalla se inició en las cumbres de Aculzingo y el 5 de mayo prosiguió en Puebla. Las huestes mexicanas desplegaron todo su valor, ante un general Lorencez que menospreciaba a las "gavillas de Juárez", pero el mejor ejército del mundo pudo ser vencido.

Zaragoza pudo telegrafiar al ministro de guerra: "las armas nacionales, ciudadano ministro, se han cubierto de gloria y por ello felicito al Primer Magistrado de la República […] puedo afirmar con orgullo que, ni un sólo momento volvió la espalda al enemigo el ejército mexicano, durante la larga lucha que sostuvo". México parecía haber aprendido la lección del 47, pues

Zuloaga, desde La Habana, instaba a los conservadores a combatir a los invasores, en cambio Puebla, según testimonio de Zaragoza, estaba de luto.[32] La victoria resultó contraproducente, pues el Emperador despachó de inmediato un gran ejército con un jefe más experimentado.

Con el luto por la muerte de otra hija, de su suegro y del general Zaragoza, Juárez enfrentó la invasión, crisis ministeriales, presiones del Congreso, autonomismo estatal y escasez de recursos. Don Benito convocó a aprestar todas las armas disponibles al mando de González Ortega. Éstas lograron resistir un largo sitio en Puebla, pero el 17 de mayo de 1863 se rindieron. Como la capital estaba desprotegida, Juárez aguardó a la clausura del Congreso para trasladar su gobierno a San Luis Potosí. Nuevamente, el viejo carruaje negro que aún se conserva, precedido por otro que transportaba a su familia, abandonaba México el 31 de mayo.

El gobierno norteamericano declaró la neutralidad. Un hombre con menos espíritu se hubiera dado por vencido, pero don Benito estaba cierto de que su cargo lo convertía en el símbolo de la soberanía nacional y decidió resistir. Después de ocupar la capital en junio, los invasores nombraron una junta de notables y una regencia. El país volvía a tener dos gobiernos. Mientras tanto, el 3 de octubre de 1863 una comisión mexicana visitaba Miramar para ofrecer a Fernando Maximiliano de Habsburgo la corona del Imperio mexicano. El archiduque condicionó su aceptación a ser llamado por el pueblo y los monarquistas

UN HOMBRE CON MENOS ESPÍRITU SE HUBIERA DADO POR VENCIDO, PERO DON BENITO DECIDIÓ RESISTIR

---

32   *Ibid.*, vol. 4, pp. 442 Y 762; vol. 6, p. 475.

se apresuraron a obtener miles de firmas.

Así, el 10 de abril de 1864, Maximiliano aceptaba la corona y firmaba con Napoleón los ruino-

sos Tratados de Miramar. Para Maximiliano la corona significaba la solución a su bancarrota personal y la posibilidad de ofrecer a su esposa, Carlota, el imperio para el que había sido educada. Maximiliano confiaba en convencer a Juárez. Muchos moderados se alinearon con el Imperio para conquistar la paz. Los conservadores, en cambio, se distanciaron al constatar que tanto Napoleón III como Maximiliano compartían con Juárez algunos principios. Es más, el Emperador le hizo dos servicios al país: consolidar el nacionalismo y también la Reforma.

Mas como el Imperio dependía del ejército francés, al momento que Napoleón III retiró sus tropas, Maximiliano, casi sin ejército, se entregó en brazos de los conservadores y perdió el apoyo de los moderados. Al crecer la impopularidad del Imperio, también se multiplicaron las guerrillas, permitiendo que las tropas liberales reorganizadas lo vencieran.

Juárez se situó en San Luis, donde enfrentó problemas. Por una parte, los eternos recursos, por la otra, gobernadores que se resistían a entregar las rentas federales que retenían y plazas se perdían en manos de los franceses. El gabinete se dividió y el asesinato de Comonfort lo privó de su secretario de Guerra. En esas circunstancias, don Benito decidió que su familia se trasladara a Saltillo y él mismo abandonó San Luis el 22 de diciembre.

A pesar de las pesadas responsabilidades, no descuidó los problemas familiares,

DON BENITO ESTABLECIÓ EL GOBIERNO EN MONTERREY; ALLÍ NACIÓ SU PRIMERA NIETA

ocupándose hasta de detalles menores. Esto revelaba su carácter de buen padre y excelente esposo. Su atención paternal trascendía el bienestar material y a Santacilia le encargaba: "cuide mucho de que ni él [su hijo Pepe], ni sus hermanas, se impregnen de las preocupaciones que producen las prácticas supersticiosas... que las muchachas bailen, les hará más provecho que rezar y darse golpes de pecho".[33]

Don Benito decidió establecer el gobierno en Monterrey. El 9 de enero de 1864 se reunió con su familia en Saltillo, donde recibió una comisión enviada por González Ortega y Doblado, que le pedía su renuncia para lograr un acuerdo con los franceses. Su respuesta fue firme: "por lo grave de la situación, el poder nada tiene de halagüeño, [pero] ni mi honor ni mi deber me permiten abandonarlo voluntariamente".[34] Vidaurri se portó gentil con su familia, pero no quiso entregar los ingresos aduanales de la Federación que había retenido. El rompimiento fue inevitable y forzó a Juárez a volver a Saltillo, desde donde anunció dos drásticas medidas: la separación de Coahuila y Nuevo León, que Vidaurri había unido, y el estado de sitio.

Eso hizo a Vidaurri aceptar la invitación del general Aquille Bazaine para incorporarse al Imperio, pero el ejército liberal lo obligó a huir a Texas. Esto permitió que el 3 de abril, don Benito se instalara en Monterrey. Su familia permaneció en Saltillo en espera de que doña Margarita diera a luz. El 13 de junio nació su último hijo. Una vez reunida la familia en Monterrey, los Juárez tuvieron la alegría del nacimiento de su primera nieta. Pero el destino condenaba a don Benito a la soledad, y el 12 de septiembre despedía a su familia que se marchaba a Estados Unidos a cargo de Santacilia.

33   Tamayo, *Epistolario*, pp. 229-230.
34   *Ibid.*, p. 243.

Solo, enfrentado a derrotas y defecciones, Juárez se dirigió a Chihuahua como nuevo asiento para el gobierno itinerante. El camino a través del desierto y la sierra resultó difícil. El 12 de octubre, Chihuahua y su gobernador Terrazas lo recibían cordialmente, lo que no calmaba la angustia por falta de noticias de su familia. Hasta fin del año le llegaron las primeras cartas de Nueva York.

El 1865 fue uno de los años más aciagos para la república: el Imperio floreció y el avance francés hacia el norte se hizo incontenible. Don Benito recibió noticias de que en Estados Unidos, Doblado promovía la cesión territorial para conseguir apoyo. A estas malas nuevas, se sumó otra personal: la de la muerte de sus dos hijos menores. A principios de agosto de 1865, los franceses empezaron a entrar en Chihuahua y Juárez tuvo que trasladarse al Paso del Norte, donde encaró el problema del fin de su periodo presidencial y el reclamo de González Ortega quien, como presi-

dente de la Suprema Corte, reclamaba desde Estados Unidos que le entregara el poder. Juárez tuvo que vencer enormes dudas y, en uso de sus facultades extraordinarias, prorrogó su gobierno hasta que fuera posible hacer elecciones. Además, enjuició a González Ortega por permanecer fuera del país sin licencia. Estas decisiones ahondaron su distanciamiento de los radicales.

Para fines de 1865 los nubarrones empezaron a despejarse. La guerra civil de Estados Unidos había terminado y, aunque Juárez no esperaba ayuda directa, pues como le confesaba a su yerno: "sé que los ricos y los poderosos ni sienten ni menos procuran remediar las desgracias de los pobres", esto le permitía pensar que "los mexicanos en vez de quejarse, deben redoblar sus esfuerzos para librarse de sus tiranos. Así serán dignos de ser libres y respetables, porque así deberán su gloria a sus propios esfuerzos".[35]

Poco a poco se multiplicaron los signos positivos, tanto en México como en el exterior. Doña Margarita hizo una visita a Washington, donde le ofrecieron una recepción presidencial. El *Herald* informó que se había presentado "elegantemente vestida y con muchos brillantes". Ella se lo desmintió en una carta, sólo llevaba el "vestido que me compraste en Monterrey", "no vayan a decir, que estando tú en El Paso con tantas miserias yo esté aquí gastando lujo". Para entonces, la cercanía de la victoria aumentó la popularidad de Juárez, y doña Margarita mencionó que iba a hacer "copias de tu retrato, porque varias personas me lo han pedido".[36]

Juárez regresó a Chihuahua el 17 de junio, al tiempo que las noticias de retiro de las tropas francesas se multiplicaban. Carlota había viajado a Europa y Bismarck había roto con Austria. Don Benito exclamó: "Dios lo mantenga en su firmeza para que

---

35   *Ibid.*, p. 348.
36   *Ibid.*, p. 350. Ángeles Mendieta Alatorre, Margarita Maza de Juárez, México, Comisión Nacional para la Conmemoración del Centenario del Fallecimiento de don Benito Juárez, 1972, p. 128.

el incendio no se apague." Todo hacía pensar que el triunfo estaba cerca y le invadió la nostalgia familiar, y a su esposa le confesaba abiertamente sus deseos de tener a su nieta en brazos "para darle muchos besos".

En efecto, los acontecimientos se aceleraron y la recuperación se fue acercando al centro. Para el 28 de enero de 1867 estaba en Zacatecas y en marzo, en San Luis Potosí, desde donde tuvo noticias de la toma de Puebla por Porfirio Díaz el 2 de abril, pasando a sitiar la ciudad de México, que a gran costo tuvo que resistir por orden de Márquez. Don Benito ordenó clemencia con la tropa, "aun cuando se componga de extranjeros", pero todo el rigor de la ley para los jefes. Eufórico, el 15 de mayo, Juárez recibió la noticia de la caída de Querétaro y a "Santa" le anunció que Maximiliano, Mejía y Miramón iban a ser enjuiciados conforme a la ley de 25 de enero de 1862 y, por tanto, serían fusilados. Previendo la caída de Veracruz, le aconsejó a Santacilia llegar por ese puerto. Aunque recibió miles de peticiones internacionales para que perdonara a Maximiliano, don Benito se empeñó en cumplir con la ley de 1862, además de querer dejar bien claro que cualquier violación a la soberanía nacional, sería castigada con rigor.

Por fin, el 15 de julio don Benito pudo hacer su entrada en la capital. La población había olvidado al hereje que había entrado triunfante en 1861 y ahora lo recibió con júbilo como defensor de la soberanía. La ciudad se engalanó y una carretela descubierta lo condujo de Cha-

EL 15 DE JULIO DE 1862 DON BENITO ENTRÓ A LA CAPITAL. LA POBLACIÓN LO RECIBIÓ CON JÚBILO COMO DEFENSOR DE LA SOBERANÍA

pultepec al Paseo de Bucareli, donde se colocó un altar a la patria. Ahí lo recibió el Ayuntamiento para seguir a Palacio, donde enarboló la bandera que había custodiado a lo largo del territorio. Después presenció el desfile del ejército y dio a conocer su *Manifiesto a la nación*. Sólo un chubasco malogró la comida en la Alameda.

LA ETAPA FINAL

La república logró restaurarse, pero las condiciones eran delicadas. Como siempre, la hacienda estaba exhausta y el desorden, general. El gran ejército era oneroso y la autoridad nacional era débil ante los jefes regionales que se pertrechaban en un federalismo radical y unos ayuntamientos que exigían autonomía y las tierras que la Ley Lerdo les había arrebatado. En cuanto se pudo, el 18 de agosto, Juárez cumplió con su promesa de convocar a elecciones.

En la convocatoria, anexó la proposición de hacer reformas a la Constitución "para afianzar la paz y consolidar las instituciones, estableciendo el equilibrio de los poderes supremos". Aunque su actitud recordaba el Comonfort de 1857, su plan era preciso: restablecer el senado, asegurar el veto presidencial a las disposiciones del Congreso, variar la forma de sustituir al presidente de la República y devolver al clero sus derechos cívicos. De cierta manera era una agenda conciliatoria destinada a ganar votos y a limitar la autoridad del Congreso, pero causó escándalo.

La prensa aprovechó para fustigarlo con crueles caricaturas y la oposición a organizar la resistencia a las reformas. Pero su prestigio hizo que don Benito obtuviera 7,422 votos, su paisano Porfirio Díaz 2,709, a pesar

85

EL 18 DE AGOSTO DE 1862, JUÁREZ CUMPLIÓ SU PROMESA DE CONVOCAR A ELECCIONES

de ser el héroe militar de la guerra de intervención y el apoyo de los radicales.

Con gran perspicacia, al reunirse el Congreso el 8 de diciembre, Juárez renunció a las facultades, pero no tardaría el Congreso a volver a otorgárselas para combatir las rebeliones. Don Benito las usó dos veces, para suspender las garantías individuales en mayo de 1868 y en enero de 1870, única ocasión en que se suspendió la libertad de imprenta, que respetó religiosamente.[37] En 1871 volvió a intentar la reforma de la Constitución, pero volvió a fracasar. Su empeño de fortalecer al gobierno federal y al ejecutivo para que no fueran necesarias las facultades extraordinarias, recordaba los de Lucas Alamán y Mariano Otero. La restauración de la República replanteaba la debilidad del presidente y del gobierno ante los poderes estatales, pero la división del partido liberal impidió hacer esa necesaria reforma y también definir sus objetivos. Eso hizo inevitable la dictadura de Díaz.

Los movimientos rebeldes y los enemigos se multiplicaron y empañaron el sueño de don Benito de establecer un estado de derecho en el país. En este tramo, Juárez contaba con una experiencia política que le indicaba que, para poner los cimientos de un gobierno constitucional, no podía aplicar el método frontal que había utilizado para gobernar Oaxaca. Bien sabía ahora que tenía que recurrir a las concesiones y manipular para abrirse paso en medio de tanta politiquería.

<hr>

37   Dublán y Lozano, vol. X, p. 9. Se suspendió "respecto a escritos que directa o indirectamente afecten la independencia, el orden público o el prestigio de los poderes".

Juárez moderó su intento inicial de aplicar con rigor la ley, y en busca de la conciliación sólo fueron ejecutados media docena de generales, entre ellos Vidaurri. El centenar de colaboradores del Imperio, condenado a prisión, fue liberado en 1870 en una amnistía que permitió también el retorno del ahora arzobispo Labastida. El Papado que había condenado las reformas, aceptó entonces nombrar obispos para las sedes vacantes, por vez primera sin intervención del gobierno mexicano.

El temible representante de las etnias nayaritas y de intereses contrabandistas de San Blas, el imperialista Manuel Lozada, hizo que Juárez convirtiera a Nayarit en territorio para que quedara bajo la autoridad federal. Sus principales enemigos fueron sus paisanos Porfirio y Félix Díaz, este último gobernador de Oaxaca. Pero también se le rebelaron Trinidad García de la Cadena, Jerónimo Treviño y algunos otros.

Hasta 1871 su principal aliado político fue Sebastián Lerdo de Tejada. Su paisano Ignacio Mejía, ministro de Guerra le profesó lealtad hasta el final y los generales Ignacio Alatorre, Sóstenes Rocha y Mariano Escobedo fueron inapreciables aliados que sometieron a los rebeldes de San Luis Potosí, Zacatecas, Nuevo León y Oaxaca. Matías Romero, secretario de Hacienda hasta 1872, fue otro gran colaborador, cuya capacidad permitió que pusiera en orden las finan-

MATÍAS ROMERO, SECRETARIO DE HACIENDA HASTA 1872 PUSO EN ORDEN LAS FINANZAS PÚBLICAS

zas públicas y elaborara, por primera vez en la historia del país, un presupuesto, aunque los gastos de pacificación le impidieron reducir el déficit. Romero también completó la nacionalización de bienes del clero, sin anular los otorgados durante otros gobiernos, de manera que a diferencia de la confiscación dictada en 1863 a los bienes obtenidos de los gobiernos conservadores, ahora se impusieron multas. Una ley de agosto de 1867 planteó condiciones para disponer de bienes no vendidos y otra, de diciembre de 1869, concedió nuevos descuentos y facilidades.

El gobierno apenas obtuvo ganancias, fracasando el sueño liberal de convertir la desamortización en el instrumento para liberar al país de la bancarrota y convertir al país en uno de pequeños propietarios. Los bienes terminaron siendo comprados por los que tenían dinero: los ricos. No obstante, la desamortización y la nacionalización contribuyeron a la modernización de la economía y al saneamiento de la hacienda pública, ya que contribuyeron a absorber buena parte de los bonos circulantes del gobierno.

Las metas de Juárez eran típicamente liberales: promover la educación, la colonización, promover todas las ramas de la economía con inversiones extranjeras y construir comunicaciones. Para favorecer la vida económica, ratificó las concesiones otorgadas por el Imperio al Banco de Londres y Sudamérica y a la compañía constructora del ferrocarril de México a Veracruz, cuyo primer tramo de México a Puebla, lo pudo inaugurar Juárez el 16 de septiembre de 1869.

La más entrañable ambición de don
Benito era multiplicar escuelas y modifi-
car el programa de enseñanza para formar los ciudadanos leales y progresistas
que la nación necesitaba. Un requisito
esencial para que la instrucción fuera
laica, debía borrar las huellas de toda
tradición retardataria, por eso, poco
después de su retorno a la ciudad
de México, nombró una comisión
que estudiara este problema. La
comisión fue presidida por el po-
sitivista Gabino Barreda y de sus
trabajos surgió una ley, el 1 de diciembre de 1867. Esta *Ley Orgánica
de Instrucción Pública* que regiría la
labor educativa del gobierno federal, estaba destinada a "difundir la
ilustración en el pueblo" como "el
medio más seguro y eficaz de mora-
lizarlo y establecer de una manera sólida la libertad y el respeto
a la Constitución y a las leyes". Su vigencia se limitaba al Distrito
Federal y territorios, pero su impacto fue nacional. Barreda adap-
tó el positivismo al liberalismo. Él concebía que la labor positi-
vista daría orden a la mente de los mexicanos que en el futuro
dirigirían a la nación, por lo que promovió la fundación de la
Escuela Nacional Preparatoria, institución que se encargaría de
proporcionar una base homogénea a la educación profesional,
trasmitiendo "un fondo común de verdades".[38]

El 15 de mayo de 1869 apareció la reforma de la *Ley Orgánica* con la ambiciosa meta de establecer "el número de escuelas
de instrucción primaria de niños y niñas que exijan su población y sus necesidades". El logro fue impresionante a la luz de

---

38   Josefina Zoraida Vázquez. *Nacionalismo y educación en México*, México, 1986, pp. 55-57.

la escasez de recursos materiales y humanos y las 1,424 escuelas primarias existentes en el Distrito Federal en 1857 se convirtieron en 4,570 para 1874 y en 8,103 para 1879.

Las elecciones de 1871 despertaron nuevas inquietudes. Sebastián Lerdo de Tejada y José María Iglesias, leales a don Benito, confiaban en su retiro. Lerdo venía formando su grupo de apoyo en el Congreso, la Suprema Corte y en los estados, lo que no pasó inadvertido para la prensa que demolió sus maquinaciones. Lerdo renunció a la cartera de Relaciones y se presentó como candidato en las elecciones de 1871. Los votos se repartieron y Juárez obtuvo 5,837 votos, Díaz, 3,555 y Lerdo sólo 2,874. Aunque don Benito no alcanzó la mayoría, el 12 de octubre de 1871 el Congreso lo declaró presidente por un nuevo periodo.

Los partidarios de Díaz, militares prominentes, se sublevaron antes de conocer el resultado de las elecciones. Díaz no fue capaz de afrontar una nueva derrota y el 9 de noviembre proclamó su Plan de la Noria, contra "la reelección indefinida, forzosa y violenta del Ejecutivo", que había convertido el Congreso "en una Cámara cortesana"; proponía reunir una convención para establecer la elección presidencial directa y el juicio por jurado popular, así como asegurar derechos y recursos propios a los ayuntamientos y suprimir las alcabalas. El plan tuvo apoyo limitado y Díaz, perseguido por los generales Sóstenes Rocha e Ignacio Alatorre, se embarcó en el Golfo de México. Apareció después por el Pacífico para reavivar la lucha, sin resultado. Su hermano tuvo menos suerte y murió asesinado por rebeldes del Istmo, pero la

DÍAZ NO FUE CAPAZ DE AFRONTAR UNA NUEVA DERROTA Y EL 9 DE NOVIEMBRE DE 1871 PROCLAMÓ SU PLAN DE LA NORIA

lucha no cesó sino después de la muerte de Juárez con la amnistía declarada por Lerdo.

No hay duda de que Juárez amaba el poder. Quería mantenerlo hasta sentar bases firmes al sistema constitucional y consideraba fundamental lograr que los tres poderes federales tuvieran un peso equilibrado, para lo cual era necesario restaurar el Senado y equilibrar las competencias del gobierno federal y de los estados.

Desde 1870, la salud de don Benito había empezado a resentirse. Después de todo la presidencia durante dos guerras lo había hecho víctima de muchas penalidades. Doña Margarita había compartido sus azares, viviendo a salto de mata o en el exilio, además de procrear diez hijos. Desde su regreso de Nueva York empezó a sentirse enferma y durante 1870 se agravó. Finalmente, después de una penosa enfermedad, murió el 2 de enero de 1871. Su muerte no pudo menos que afectar profundamente a don Benito, al dejarlo huérfano de su comprensión y apoyo.

La campaña para la reelección, el levantamiento de Díaz y la campaña para someter a los rebeldes significaron duras pruebas para Juárez. En marzo de 1872 sufrió el primer ataque al corazón. Aunque pareció superarlo, la inestabilidad del país le producía ansiedad. El 8 de julio tuvo un nuevo ataque, pero en cuanto se sintió algo mejor, reanudó su vida normal. Todavía el lunes 16, comió y bebió como de costumbre: "media copa de jerez, Burdeos, pulque, sopa de tallarines, huevos fritos, arroz, salsa picante de chilepiquín, *bifsteak*, frijoles, fruta y café. Entre

una y dos de la tarde. En la noche. A las nueve, una copa de rompope. Copa chica".

Al día siguiente, se instaló en su oficina para emprender sus actividades habituales. Los ministros notaron su indisposición, pues don Benito se levantaba continuamente. Eso no impidió que discutiera los dos asuntos que le preocupaban en especial: la reforma de la Constitución y la conclusión del ferrocarril a Veracruz. Todavía por la noche, intentó continuar la lectura del *Tours D'Histoire des Législations Comparées* de M. Lerminier, pero tuvo que abandonarla por los dolores. Durante todo el día 18, los dolores no lo abandonaron, no obstante lo cual, por la tarde recibió al ministro de Relaciones, José María Lafragua y al general Alatorre. Pero el desenlace estaba cerca y esa noche, rodeado de ministros y familiares, don Benito se rindió ante la muerte.[39]

Su deceso conmovió al país. La prensa que lo había convertido en blanco de ataques, enmudeció. *El Siglo Diez y Nueve* en un editorial del día 20, hizo una mención respetuosa:

> *Ante la tumba que se acaba de abrir, todas las pasiones enmudecen. La personalidad política del C. Juárez pertenece hoy más a la historia, cuyo buril inflexible y severo le asignará el lugar que de derecho le corresponde, siendo incuestionable que su recuerdo vivirá siempre en México por hallarse ligado con dos de las épocas más importantes de nuestra vida pública.*[40]

EL 18 DE JULIO DE 1872, POR LA NOCHE, MURIÓ DON BENITO JUÁREZ, RODEADO DE SUS FAMILIARES Y MINISTROS

39   Tamayo, *Documentos...*, vol. 15, pp. 1005-1008.
40   Tamayo, *Epistolario*, pp. 791-803.

Juárez fue enterrado el 23 en el Panteón de San Fernando, junto a su mujer y a cinco de sus hijos. Curiosamente, el austero Juárez tuvo unos funerales ceremoniosos a la manera casi virreinal, ya que siguieron el decreto de febrero de 1836. Seguramente no era lo que él hubiera deseado. La comitiva incluyó funcionarios, empleados, familiares y amigos, pero también el pueblo que se había identificado con su modestia, empeño y sencillez.

La división política como tantas cosas que lo habían favorecido en su vida, le habían permitido a don Benito gobernar catorce años y morir en la silla presidencial, pero quizá también habían acelerado su muerte. En la historia del México independiente, sólo Guadalupe Victoria y José Joaquín de Herrera habían terminado sus periodos presidenciales, de manera que el largo gobierno de Juárez era toda una hazaña.

Sería necesario humanizar la imagen que tenemos del hombre singular que fue Benito Juárez. No fue el héroe de bronce, acartonado e insensible que la tradición historiográfica nos ha legado. Como ser humano tenía grandes virtudes y grandes pasiones; fue buen ciudadano, hombre común, curioso, inquieto, que gozaba con la música y el baile, buen padre y cariñoso esposo. Desde luego su carrera es única, si contamos su origen en un lugar remoto, en medio de mexicanos marginados y al que voluntad y disciplina le permitieron conquistar el saber y elevarse por encima de sus contemporáneos. Juárez supo aprender de sus experiencias y convertirse en verdadero estadista y, sin duda, fue el hombre que el país necesitaba en esos momentos cruciales. Por eso hoy que vivimos tantos desórdenes y crisis, su vida resulta una buena inspiración para retomar el camino.

TRES APÉNDICES

Es copia de la autógrafa.

Chihuahua, Enero 26 de 1865.

Señor Don Matías Romero.

Washington.

Mi querido amigo:

Por su carta de Noviembre próximo
pasado y por las comunicaciones oficiales que remito al
ministerio, quedo impuesto de que las cosas han cambia-
do en esa de un modo favorable á nuestra causa, lo
que celebro mucho, pues estaba yo muy inquieto por las
noticias que corrían, de que ese gobierno estaba dispuesto á
reconocer el imperio de Maximiliano. Atendemos á
lo menos una cooperación negativa de esa República, pues
en cuanto á un auxilio positivo que pudiera darnos, lo
juzgo muy remoto y sumamente difícil, porque no es
probable siquiera, que el Sur ceda en un ápice de sus
pretensiones y en tal caso ese gobierno tiene que concluir
su cuestión, por medio de las armas y esto demanda
mucho tiempo y muchos sacrificios.

La idea que tienen algunos, según
Ud. me dice, de que ofrezcamos parte del territorio na-

cional para obtener el auxilio indicado, es no solo antinacional, sino perjudicial á nuestra causa.

La nación, por el órgano legítimo de sus representantes ha manifestado de un modo expreso y terminante, que no es su voluntad que se hipoteque, ó se enagene su territorio, como puede Ud. verlo en el decreto en que se me concedieron facultades extraordinarias para defender la independencia; y si contrariáramos esta disposición, sublevaríamos al país contra nosotros y daríamos una arma poderosa al enemigo para que consumara su conquista. Que el enemigo nos venza y nos robe, si tal es nuestro destino; pero nosotros no debemos legalizar su atentado, entregándole voluntariamente lo que nos exije por la fuerza. Si la Francia, los Estados Unidos ó cualquiera otra nación se apodera de algún punto de nuestro territorio y por nuestra debilidad no podemos arrojarlo de él, dejemos siquiera vivo nuestro derecho, para que las generaciones que nos sucedan, lo recobren

Malo sería dejarnos desarmar por una fuerza superior; pero sería pésimo desarmar á nuestros hijos, privándolos de un buen derecho, que más valientes, más patriotas y más sufridos que nosotros, lo harían, valer y sabrían reivindicarlo algún día.

Es tanto mas prejudicial, la idea de enagenar el territorio en estas circunstancias, cuanto que los Estados de Sonora y Sinaloa, que son los más codiciados, hacen hoy esfuerzos heroicos en la defensa nacional, son los más celosos de la integridad de su territorio y prestan al gobierno un apoyo firme y decidido. Ya sea pues por esta consideración, ya sea por la prohibición que la ley impone al gobierno de hipotecar, ó enagenar el territorio nacional y ya sea en fin porque esa prohibición, está enteramente conforme con la opinión que he tenido y he tenido siempre sobre este negocio, repito á Ud. lo que ya le he dicho en mi carta de 22 de Diciembre último y posteriores á saber: que no solo debe Ud. seguir la patriótica conducta que ha observado de no apoyar semejante idea, sino que debe Ud. contrariarla trabajando por disuadir á sus autores, haciéndoles presente las funestas consecuencias que nos traería su realización.

Celebro que haya Ud. quedado satisfecho de la opinión que observó en el gabinete del Grãl Grant, respecto de nuestra causa. Esa opinión, y la que ha manifestado Mr. Seward, son una garantía que podemos tener de que el imperio de Maximiliano no será reconocido por su gobierno. Es lo único positivo que podemos esperar por ahora de esa República.

No me extiendo á más, porque bajo la impresión del profundísimo pesar que destroza mi corazón, por la muerte del hijo á quien más ama-

ba apenas, he podido trazar las líneas que anteceden. Digo por la muerte del hijo á quien más amaba porque según los términos de la carta de Ud. que
recibí anoche, he comprendido que solo por lo funesto
de la noticia no me la ha dado de un golpe; pero en realidad mi amado hijo ya no existía, ya
no existe ¿no es verdad? Con toda mi alma deseo
equivocarme y seré yo muy feliz si en el próximo correo que espero con verdadera ansiedad se me dijera
que mi hijo estaba aliviado. Remota esperanza que
un funesto presentimiento desvanece diciéndome que
ya no hay remedio.

Adiós, amigo mío, sabe Ud. que lo aprecia su
inconsolable y afmô

      firmado: Benito Juárez

La idea que tienen algunos, según me dice usted, de que ofrezcamos parte del territorio nacional para obtener el auxilio indicado, no sólo es antinacional, sino perjudicial a nuestra causa. La Nación, por el órgano legítimo de sus representantes, ha manifestado de un modo expreso y terminante que no es su voluntad que se hipoteque o enajene su territorio, como puede usted verlo en el decreto en que se me concedieron facultades extraordinarias para defender la independencia, y si contrariásemos esta disposición, sublevaríamos el país contra nosotros y daríamos una arma poderosa al enemigo para que se consumara su conquista.

Que el enemigo nos venza o nos robe, si tal es nuestro destino; pero nosotros no debemos legalizar ese atentado, entregándole voluntariamente lo que nos exige por la fuerza. Si Francia, si los Estados Unidos o cualquiera otra nación se apodera de algún punto de nuestro territorio y por nuestra debilidad no podemos arrojarlo de él, dejemos siquiera vivo nuestro derecho para que las generaciones que nos sucedan lo recobren. Malo sería dejarnos desarmar por una fuerza superior, pero sería pésimo desarmar a nuestros hijos privándolos de un buen derecho, que sin duda otros más valientes, más patriotas y más sufridos que nosotros, lo harían valer y sabrían reivindicarlo algún día.

En tanto más perjudicial la idea de enajenar el territorio en estas circunstancias, cuanto que los Estados de Sonora y Sinaloa, que son los más codiciados, hacen los esfuerzos heroicos en la defensa nacional, son los más celosos de la integridad de su territorio y prestan ál gobierno un apoyo firme y decidido.

Ya sea, pues, por esta consideración, ya sea por la prohibición que la ley impone al gobierno de hipotecar o enajenar el

territorio nacional y ya sea, en fin, porque esta prohibición está enteramente con la opinión que he tenido y sustentado siempre sobre este negocio, repito a usted lo que ya le he dicho en mis cartas de 22 de diciembre último y posteriores, a saber: que no sólo debe usted seguir la patriótica conducta que ha observado de no apoyar semejante idea, sino que debe usted contrariarla trabajando por disuadir a sus autores, haciéndoles presentes las funestas consecuencias que nos traería su realización.

No me extiendo a más porque, bajo la impresión del profundísimo pesar que destroza mi corazón por la muerte del hijo a quien más amaba, apenas he podido trazar las líneas que anteceden. Digo que la muerte del hijo al que más amaba, porque según los términos de la carta de usted, que recibí anoche, he comprendido que sólo por lo funesto de la noticia no me la ha dado usted de un golpe; pero en realidad mi amado hijo ya no existía, ya no existe. ¿No es verdad? Con toda mi alma deseo equivocarme y sería yo muy feliz si por el próximo correo, que espero con verdadera ansiedad, si me dijera que mi hijo estaba aliviado. ¡Remota esperanza que un funesto presentimiento desvanece, diciéndome que ya no hay remedio!

Adiós, amigo mío. Sabe usted que lo aprecia su inconsolable y afectísimo.

Benito Juárez

MAXIMILIANO SE ASIGNÓ EL SUELDO DE UN MILLÓN Y MEDIO DE PESOS AL AÑO (TREINTA VECES MÁS QUE EL DE JUÁREZ)

Me dirige V. Particularmente su carta del 22 del pasado, fechada a bordo de la fragata "Novara" y mi calidad de hombre cortés y político me impone la obligación de contestarla, aunque muy de prisa y sin una redacción meditada, porque ya debe V. Suponer que el delicado e importante cargo de Presidente de la República, absorbe casi todo mi tiempo, sin dejarme descansar de noche. Se trata de poner en peligro nuestra nacionalidad, y yo, que por mis principios y juramentos soy el llamado a sostener la integridad nacional, la soberanía e independencia, tengo que trabajar activamente, multiplicando mis esfuerzos para corresponder al depósito sagrado que la Nación, en el ejercicio de sus facultades, me ha confiado. Sin embargo, me propongo, aunque ligeramente, contestar los puntos más importantes de su citada carta.

Me dice V., que abandonando la sucesión de un trono en Europa, abandonando su familia, sus amigos, sus bienes y lo más caro para el hombre, su patria, se han venido V. y su esposa doña Carlota, a tierras lejanas y desconocidas, sólo por corresponder al llamamiento espontáneo que le hace un pueblo que cifra en V. la felicidad de su porvenir. Admiro positivamente por una parte toda su generosidad, y por otra parte ha sido verdaderamente grande mi sorpresa al encontrar en su carta la frase: "llamamien-

to espontáneo", porque yo ya había visto antes, que cuando los traidores a la patria se presentaron en comisión por sí mismos en Miramar, ofreciendo a V. la corona de México, con varias cartas de nueve o diez poblaciones de la Nación, V. no vio en todo eso más que una farsa ridícula, indigna de ser considerada seriamente por un hombre honrado y decente.

Contestó V. a todo eso exigiendo una voluntad libremente manifestada por la Nación, y como resultado de sufragio universal: esto era exigir una imposibilidad; pero era una exigencia de un hombre honrado. ¿Cómo no he de admirarme ahora viéndole venir al territorio mexicano sin que se haya adelantado nada respecto a las condiciones impuestas? ¿Cómo no he de admirarme viéndole aceptar ahora las ofertas de los perjuros y aceptar su lenguaje, condecorar y poner a sus servicios a hombres como *Márquez y Herrán*, y rodearse de toda esa parte dañada de la sociedad mexicana?

Yo he sufrido, francamente, una decepción; yo creía a V. una de esas organizaciones puras, que la ambición no alcanzaría a corromper.

Me invita V. a que venga a México, ciudad donde V. se dirige, a fin de que celebremos allí una conferencia, en la que tendrán participación otros jefes mexicanos que están en armas, prome-

tiéndonos a todos las fuerzas necesarias para que nos escolten en
el tránsito y empeñando como seguridad y garantía su fe pública,
su palabra y su honor. Imposible me es, señor, atender a ese llamamiento; mis ocupaciones nacionales no me lo permiten, pero
si en el ejercicio de mis funciones públicas yo debiera aceptar tal
intervención, no sería suficiente garantía, la fe pública, la palabra y el honor de un agente de Napoleón, de un hombre que se
apoya en esos afrancesados de la nación mexicana, y del hombre
que representa hoy la causa de una de las partes que firmaron el
Tratado de la Soledad.

Me dice usted que de la conferencia que tengamos en el
caso de que yo la acepte, no duda que resultará la paz y con ella
la felicidad del pueblo mexicano; y que el imperio contará en ade-
lante, colocándome en un puesto distinguido, con el servicio de
mis luces y el apoyo de mi patriotismo. Es cierto, señor, que la
historia contemporánea registra el nombre de grandes traidores
que han violado sus juramentos y sus promesas, que han faltado
a su propio partido, a sus antecedentes y a todo lo que hay de sagrado para el hombre honrado; que en estas traiciones el traidor

ha sido guiado por una torpe ambición de mando y un vil deseo de satisfacer sus propias pasiones y aún sus mismos vicios; pero el encargado actualmente de la Presidencia de la República, salido de las masas obscuras del pueblo, sucumbirá (si en los juicios de la Providencia está determinado que sucumba), cumpliendo con un juramento, correspondiendo a las esperanzas de la Nación que preside y satisfaciendo las inspiraciones de su conciencia.

Tengo necesidad de concluir por falta de tiempo, y agregaré sólo una observación. Es dado al hombre, señor, atacar los derechos ajenos, apoderarse de sus bienes, atentar contra la vida de los que defienden su nacionalidad, hacer de sus virtudes un crimen y de los vicios una virtud; pero hay una cosa que está fuera del alcance de la perversidad, y es el fallo tremendo de la historia. Ella nos juzgará.

Soy de usted atento y seguro Servidor.

Benito Juárez

Dinero encontrado en la casa mortuoria, según la
cuenta del albaceazgo $573.00
Dinero en poder de los señores Merodio y Blanco $20,119.88
Cobrado de la Tesorería General por cuenta de
sus alcances como Presidente de la República,
antes de que se expidiera la liquidación que
obra en autos $1,500.00
Cobrado en la misma oficina después de expedida la
liquidación, según la cuenta del albaceazgo $5,000.00
Productos de las casas de México, desde 19 de julio de
1872 hasta la fecha $5,120.00
Importan los alcances como Presidente de la República
deduciendo de la liquidación la cantidad que expresa la
parte anterior $12,479.45
En alhajas $562.00
En muebles y menaje de casa $4,153.25
Una calesa usada y un tronco de mulas $500.00
La casa Núm. 4 del Portal de Mercaderes $29,827.67
La casa Núm. 3 de la 2ª. de San Francisco $33,235.82
La casa Núm. 18 de la calle de Tiburcio $28,754.00
La casa en Oaxaca en la calle del Coronel $3,566.46
Libros, su valor $922.53
Acciones de minas y ferrocarril $4,770.00
Ropa de uso $149.75
Importa el cuerpo de bienes $151,233.81

En contraste, Maximiliano el 12 de junio de 1864, se asignó el
sueldo de un millón y medio de pesos al año (treinta veces más
que el de Juárez).

Iconografía

30   *Progresos de la República Mexicana*. Caricatura. *El Toro*, 15 de junio de
        1829. (co)

31   Polvera con emblema del imperio británico. Trabajo en metal. Siglo XIX. (a)

32   Dos de las Siete Leyes Constitucionales. 1836 (ag)

34   Vista del costado de la Catedral de Oaxaca. 1845. Lucas Villafañe. Óleo
        sobre tela. Colección Particular

35   Libreta de notas de Benito Juárez (detalles) (ag)

36   Benito Juárez. Óleo sobre tela. Antonio Esnaurrízar (c)

37   Fotografía de Benito Juárez. (r)

38   Nombramiento de Benito Juárez como responsable de la cátedra de Física.
        26 de mayo de 1830. (ag)

39   Título de abogado de Benito Juárez. 13 de enero de 1843. (ag)

40   Benito Juárez (detalle). Anónimo. Óleo sobre tela. Siglo XIX (ro)

41   Antonio López de Santa Anna. Anónimo. Miniatura de óleo sobre marfil (c)

42   Fotografía de don Benito Juárez (c)

43   Retrato de don Benito Juárez. 1860 (r)

44   1835. Nuevo mapa de Texas con los estados norteamericanos y mexicanos
        contiguos. (a)

46   1846. Bandera texana. (c)

47   Pierna artificial para mutilados. 1863. Martín Oteo. Similar a la que uso
        Santa Anna. (ag)

48   Ensueño del tirano. Detalle. Estampa suelta. Joaquín Heredia. ca. 1844-1846
        (co)

49   Antonio López de Santa Anna. Óleo sobre tela. (c)

50   Batalla de Monterrey. Las fuerzas americanas se abren paso… septiembre
        23 de 1846. (ag)

51   Entrada del General Scott a la ciudad de México. Septiembre de 1847. *Karl
        Nebel.* Litografía 1851. (c)

53   Oficiales norteamericanos de compras. 1847. *Rocha.* Litografía. (c)

54   Cartapacio de los *Tratados de Guadalupe-Hidalgo.* 1847 (a)

55   Retrato de don Benito Juárez. Condecoraciones. (r)

56   Don Benito Juárez el día de su boda con doña Margarita Maza,
        acompañado por su hermana doña María Josefa Juárez García. (r).
        Objetos personales de don Benito Juárez (r)

57   Banquete ofrecido al general Antonio de León por su llegada a la ciudad
      de Oaxaca. 1844. Anónimo. Óleo sobre tela. (c)

58   Plaza mayor de la ciudad de México. 1850. Pedro Gualdi. Óleo sobre tela. (c)

59   Melchor Ocampo. Fotografía. Tarjeta de visita. (ag). Portadilla de uno de
      los libros de don Benito Juárez: *Annales de Tacite*. (f)

60   Objetos personales de don Benito Juárez. (r)

61   Una de las primeras iniciativas de Benito Juárez como gobernador.

62   Retrato de doña Margarita Maza de Juárez. Óleo sobre tela. (r)

64   Juan Álvarez. 1853. Carlos Guevar. Óleo sobre tela. (c)

65   Miguel Lerdo de Tejada. Fotografía. Tarjeta de visita. (r)

66   Primera edición de la Constitución de los Estados Unidos Mexicanos. 5 de
      febrero de 1857.

67   Benito Juárez. Óleo, sobre tela. 1868. C. Escalante (c)

68   *Los valientes no asesinan. Guillermo Prieto salvó la vida de Benito
      Juárez*. 1970. Juana Olivos Ochoa. (c)

70   *La Reforma y la caída del Imperio*. 1948. José Clemente Orozco. Fresco
      sobre aparejo. (c)

71   Juárez triunfante. Litografía de *Ancira*. (ba)

73   Correspondencia de Santos Degollado. 1860. (sd)

74   Batalla de Calpulalpan. 1860. Litografía de *Decaen*. (c)

75   *El Monitor Republicano*. 21 de julio de 1861. (f)

76   *Tanto quiso el diablo a su hijo…* Napoleón III con el embajador *Saligny. El
      Monarca, periódico soberano y de origen divino*. 11 de octubre de 1863.
      (co)

77   Batalla de Puebla. ca. 1870. Anónimo. Óleo sobre tela. (m)

78   Escritorio de campaña y banda presidencial de don Benito Juárez. (r)

79   El señor Juárez, según la prensa "grande" llega cada día a su último
      atrincheramiento. *La Orquesta*. 1 de julio de 1865. (co)

80   Doña Margarita Maza de Juárez y sus hijas. (r)

81   Retrato del hijo menor de la familia Juárez. Ceñidor hecho por doña
      Margarita y otros objetos personales. (r)

82   Doña Margarita Maza de Juárez. Óleo sobre tela. (r)

83   Carlota Amalia de Saxe Coburgo de Bélgica. Albert Graefle. 1865. Óleo sobre
      tela. (c)

84   Entrada triunfal de Juárez a la capital el 15 de julio de 1867. Grabado de *Alberto Beltrán*. ca. 1945. (r)

85   Reloj de bolsillo, elaborado en oro por *José R. Lozada*. Londres segunda mitad del siglo XIX. (c)

86   Los dedos chiquitos. *Santiago Hernández*. La Orquesta. 8 de febrero de 1861. (co)

87   Juárez rodeado de sus ministros civiles y militares. Mezzo-tinto. *Posero*. (r)

88   Matías Romero, con su hermana y con dos de las hijas de don Benito Juárez. (r)

89   Sillón Presidencial. Palacio Nacional. 1868. (c)

90   El mundo al revés. Litografía de *Constantino Escalante*. La Orquesta. 16 de noviembre de 1867. (co)

91   Don Benito Juárez y su esposa doña Margarita Maza. 1890. Escudero y Espronceda. Óleo sobre tela. (c)

92   "Último libro que leyó papá" nota de una de las hijas de don Benito Juárez, dentro del libro *Tours D'Histoire des Législations Comparées*. (r)

93   Mascarilla mortuoria en yeso de don Benito Juárez. (r)

94   Objetos personales de don Benito Juárez. (c)

96   Matías Romero, óleo sobre tela, Gustavo Montoya. (r)

97-100   Carta de don Benito Juárez a Matías Romero. (bm)

101   *El respeto al derecho ajeno es la paz*. Litografía de Constantino Escalante. La Orquesta. 3 de agosto de 1867. (co)

102   Retrato certificado de don Benito Juárez. 1887. M Nieto y A. Vargas. (r)

104   Maximiliano de Habsburgo. Albert Graefle. 1865. Óleo sobre tela. (c)

105   Don Benito Juárez. Fotografía de Valleto.

106   Relación de bienes de don Benito Juárez a su muerte y objetos personales (r)

108   Condecoraciones juaristas. (r)

109   Corona de hojas de laurel, laminada en oro y piedras preciosas. Regalo realizado por la ciudad de México a don Benito Juárez. (c)

110   Corona de hojas de laurel, plata laminada, cincelada y grabada. Regalo del Estado de Guanajuato a don Benito Juárez. (c)

112   Don Benito Juárez. Retrato caligrafiado, con los apuntes de su biografía, 1877, *J.F. Lizardi*. (r)

118   Medalla conmemorativa, de oro con piedras preciosas, Regalo ofrecido a don Benito Juárez por la ciudad de San Francisco, California. 16 de septiembre de 1867. (c)

a: *Acervo Histórico Diplomático.* Secretaría de Relaciones Exteriores

ag: *Archivo General de la Nación*

ago: *Archivo General del Gobierno del estado de Oaxaca*

b: *Biblioteca Benson Latin American Collection.* Universidad de Texas, Austin, USA

ba: *Biblioteca de Arte Ricardo Pérez Escamilla.* Museo Nacional de Arte.

bm: Archivo histórico del Banco de México

br: Biblioteca Ricardo Pérez Escamilla

c: *Museo Nacional de Historia,* Castillo de Chapultepec CONACULTA INAH

co: *Consejo Nacional para la Cultura y las Artes.* CONACULTA

f: *Fondo Reservado.* Biblioteca Nacional. UNAM

m: *Museo Nacional de las Intervenciones.* CONACULTA, INAH

mc: *Museo Casa Juárez, Oaxaca.* CONACULTA, INAH

r: *Recinto Homenaje a don Benito Juárez* SHCP

ro: *Museo Regional de Oaxaca.* CONACULTA, INAH.

sd: Archivo Histórico de la Secretaría de la Defensa Nacional

Contenido

Índices Onomástico y Temático

Juárez, el republicano

Se imprimió por encargo de la
Comisión Nacional de Libros de Texto Gratuitos,
en los talleres de Reproducciones Fotomecánicas, S.A. de C.V.,
con domicilio en Democracias No. 116,
Col. San Miguel Amantla,
Delegación Azcapotzalco,
C.P. 02700, México, D.F.,
concluyendo su impresión en el mes de septiembre de 2005,
para ser distribuidos a los Maestros y Alumnos de Educación Básica
matriculados en el ciclo escolar "Benito Juárez 2005-2006".